P9-DFS-143

SUSANA PÉREZ DE PABLOS

El papel de los padres

punto de lectura

Título: El papel de los padres

Juan Bravo, 38. 28006 Madrid (España) www.puntodelectura.com

ISBN: 84-663-1350-8
Depósito legal: B-35.215-2004
Impreso en España – Printed in Spain

Diseño de cubierta: Sdl_b
Fotografía de cubierta: © Corbis
Diseño de colección: Suma de Letras

Impreso por Litografía Rosés, S.A.

548 / 01

SUSANA PÉREZ DE PABLOS

El papel de los padres
en el éxito escolar de los hijos

Índice

Introducción

Nadie discute que educar a un par de niños en medio de preocupaciones laborales, problemas económicos e incluso rupturas de pareja no resulta precisamente fácil. Pero, ¿justifican estas situaciones que muchos padres no dediquen un mínimo de tiempo al seguimiento de la educación de sus hijos? ¿Que deleguen esa educación en la escuela? ¿Que no estén informados sobre el sistema educativo, lo que aprenden sus hijos y cómo lo aprenden? ¿O acaso que no se pasen por el colegio o instituto en todo el curso a no ser que haya un problema grave?

Entre los niños que van mejor en el colegio se encuentran los de las familias que se implican más en sus estudios. La relación entre el rendimiento escolar de un alumno y el papel que decidan jugar sus padres en su educación es cada vez más estrecha. Lo demuestran los estudios, lo repiten los que entienden de estas cuestiones y es una realidad que irá haciéndose más palpable a medida que pasen las décadas del siglo recién estrenado.

Pero el día a día supera a muchas familias. La falta de tiempo, el ritmo de vida atropellado, es un argumento mucho más relevante de lo que pueda parecer. La reorganización del tiempo familiar para hacer hueco a la atención educativa de los hijos la llevan a cabo —en mayor o menor grado— sólo algunos padres y, generalmente, su guía para hacerlo es la mera intuición. Otros ni siquiera se lo han planteado. Se ven superados por su situación familiar o por no tener a mano unas mínimas pautas por las que regirse. Al problema de las familias con la disposición del tiempo se unen la dilatada distancia que media hoy entre padres e hijos, provocada por las nuevas tecnologías y el cambio en los valores de los jóvenes con respecto a los de décadas anteriores.

Año tras año es muy probable que se esté cada vez más cerca de alcanzar el crucial objetivo de enseñar a los niños a aprender por sí mismos. Tienen acceso desde una edad muy temprana a múltiples canales informativos, como la televisión, Internet o los programas y juegos de ordenador. Es una generación radicalmente distinta a la de sus padres y abuelos: la generación tecnológica. Son niños capaces de encontrar cualquier dato por la Red sin ninguna dificultad, que manejan con una sorprendente destreza teclados y complejos mandos y que hablan un nuevo y críptico lenguaje ininteligible para los adultos.

A pesar de que las familias actuales, sea cual sea su composición y entorno social, se involucran en general poco en la educación diaria de sus hijos, de forma paralela muestran un profundo interés por que los niños reciban una buena preparación de cara al futuro —quieren que acaben el bachillerato, que vayan a la Universidad y, además, que saquen buenas notas—. El abanico de motivos que ha provocado que los padres se debatan en esta controversia —preocupación *versus* insuficiente implicación— tiene más que ver con razones sociológicas que con cuestiones educativas. Han contribuido a ello múltiples factores que marcan la nueva modernidad. La mujer se ha integrado en el mundo laboral, la competitividad del mercado provoca que la jornada de trabajo sea cada vez más amplia y la educación de los niños ya no puede limitarse a los aspectos meramente académicos. Para que sepan vivir en la sociedad que les espera, se les debe enseñar valores democráticos, actitudes de respeto hacia otras culturas e incluso a apreciar la cultura y el deporte.

Esta nueva coyuntura es además común a todos los países desarrollados. Se trata de una crisis de valores que, además de repercutir en numerosos ámbitos de la sociedad, como la política y las religiones, está provocando trascendentales efectos en la educación. Con el agravante de que no es sino en ella donde se puede encontrar la llave para encajar y solucionar buena parte de los profundos cambios y problemas sociales. Y la tecnología puede ayudar a conseguir este objetivo si se enseña a los niños a usarla de forma adecuada, puede abrir la puerta a un mundo por descubrir, global e interconectado, de lenguas y ciencias. Pero no hay niño que logre encontrar por sí mismo valores como la tolerancia, inmersos en el doble fondo de las asignaturas, sin la colaboración de las familias.

Es necesario que los padres contribuyan activamente a conectar los dos mundos educativos del niño (el de la familia y el de la escuela), para lo cual resulta imprescindible que conozcan la situación y las formas posibles de implicarse.

¿Justifican entonces las circunstancias difíciles que viven muchas familias su falta de participación en el aprendizaje de los niños? Para unos padres, sí; para otros, los más autocríticos, no. En cualquier caso, la mezcla y el análisis de las realidades que describen las frías encuestas, las cálidas experiencias de los progenitores y las opiniones de los profesores que pasan tantas horas al día con los niños pueden ayudarles a entender lo que está pasando, a responder a algunos de sus interrogantes, a asimilar pautas de actuación y, en definitiva, a hacer en el futuro cercano más fructífera y gratificante la tarea de educar a los hijos.

Capítulo I

El desconcierto

«La vida debe ser una incesante educación», dice Gustave Flaubert. Los niños pueden aprender en el colegio la receta para hacer un bizcocho, pero por mucho que les enseñen una foto del bizcocho, les cuenten cómo es o les den a oler los ingredientes no sabrán hacerlo hasta que se enfrenten a esa tarea. Ese cara a cara entre los niños y la receta se produce algunas veces en el colegio, si bien en la mayoría de las ocasiones sucede en casa. Sus padres no deben hacerles el bizcocho, son los niños los que tienen que prepararlo para aprender. Esa práctica no sólo les sirve para conocer los ingredientes y el método para elaborarlo, sino también para saber cómo se cocinan otros alimentos similares y para familiarizarse con el proceso de aprender.

La labor de los padres para que el aprendizaje de los niños vaya por buen camino es esencial. También lo es educarles en otras cuestiones, como los comportamientos y los valores. Está demostrado que entre los estudiantes que obtienen mejores resultados académicos están aquellos cuyos padres se involucran en su educación. Los datos demuestran que esa implicación constituye el factor predictivo más fiable a la hora de medir o pronosticar la trayectoria educativa de un alumno, lo que da una idea de la repercusión que puede tener en el futuro de esos niños el hecho de que muchos padres estén delegando en los colegios más de lo que deberían.

Los estudios que analizan el compromiso de los padres en la educación concluyen que existe un fuerte vínculo entre éste y el rendimiento de los alumnos. Los niños van bien en el colegio cuando las familias hacen un seguimiento —a través de preguntas, conversaciones y actividades comunes— de la formación que sus hijos reciben en los centros escolares, cuando mantienen un alto nivel de exigencia (siempre según las capacidades del hijo), velan por que los niños dediquen un tiempo determinado a estudiar en casa y supervisan la manera en que lo aprovechan. Por supuesto, ello no quiere decir que esta relación sea causal, es decir, que los estudiantes vayan a obtener el éxito esperado siempre que exista esa implicación. Porque entran en juego otros factores, como las capacidades del niño. Pero la influencia de este factor es clara. Con todo, la mayoría de los padres no hacen este seguimiento diario, bien porque el niño va aprobando los cursos, bien porque no saben cómo hacerlo o bien por falta de hábito o de tiempo. Eso sí, cuando el niño flaquea es cuando muchos de esos padres empiezan a preocuparse y a implicarse.

Examina esta situación el informe *Evaluación de la Educación Secundaria. Fotografía de una etapa polémica*, realizado por el Instituto de Evaluación y Asesoramiento Educativo (Idea) mediante un análisis a lo largo de cuatro años (entre 1997 y 2001) de padres, profesores y alumnos de 31 centros de educación secundaria de toda España. Las conclusiones señalan que «los padres con hijos que van bien en los estudios les dedican menos tiempo que aquellos padres cuyos hijos tienen más problemas» y añade que las relaciones educativas de los padres con sus hijos suelen tener un mayor impacto cuando los niños son pequeños (es decir, en la educación primaria) que cuando ya están crecidos.

Otro tema que analiza este estudio, publicado por la Fundación Santa María, es la influencia de las expectativas de los progenitores sobre sus hijos y sus resultados académicos. «Hay que destacar el efecto de las expectativas de los padres como predictor del rendimiento de los alumnos en prácticamente todas las asignaturas y cursos de la educación secundaria obligatoria (ESO).» A mayores expectativas, mejores resultados, factor al que hay que unir el contexto social y económico al que pertenezcan las familias (cuanto más alto es el nivel, más altas son también las expectativas). Ambos criterios suman sus efectos. Esto ayuda a entender por qué uno de los papeles fundamentales de la escuela debe ser el de compensar las desigualdades sociales. «Donde hay educación no hay distinción de clases», decía Confucio.

El 43% de los padres reconoce como una de las principales causas del fracaso escolar, según la misma investigación, el «poco esfuerzo del alumno». En cambio, cuando se les pregunta esto mismo a los hijos, el porcentaje que reconoce que ésta es una causa del fracaso escolar se eleva autocríticamente al 78%.

«Los padres quieren educar, pero ni saben ni pueden», resume el catedrático de Psicología de la Educación y director del instituto Idea, Álvaro Marchesi. «Quieren porque están preocupados; pero no saben, por ejemplo, si les están dejando jugar mucho con los videojuegos o ver la televisión y, además, no tienen tiempo. Muchos llegan a casa tarde y no tienen más remedio que recurrir a las actividades extraescolares de sus hijos para poder organizarse. Tampoco saben bien cuánto tiempo deben dedicar a sus hijos, y el resultado es que, al final, no se implican.»

¿Cuántos padres dedican tiempo a cuestiones relacionadas estrictamente con el aprendizaje de sus hijos, es decir, seguimiento, preguntas, deberes o visitas al colegio? Muy pocos. No lo tienen y no hay facilidades para que sea así.

En la educación secundaria obligatoria (12-16 años), los padres del 35% de los estudiantes perciben que sus hijos van mal. Entonces empiezan a implicarse y a cuestionarse qué pueden hacer para que su hijo estudie, cuando el problema radica ya en que no tiene el nivel de su curso o en que no está motivado para seguir estudiando. El 65% restante de los padres no se implica porque los niños aprueban. Esos alumnos, de alguna manera, se autocontrolan, se autodirigen. Pero, como la mayoría de los padres no vigilan su esfuerzo en el estudio desconocen si en realidad podrían sacar mejores notas, si se les quedan dudas en el aire o si les cuesta mucho o poco lograr el resultado que están consiguiendo. El resultado es que hay un 22% de fracaso escolar; es decir, que 22 de cada 100 alumnos no consigue obtener el título al final de la ESO (el Graduado en Educación Secundaria).

Uno de los aspectos en que más inciden los padres es la sensación de impotencia y desorientación con respecto a cómo educar a sus hijos, sobre todo una vez que alcanzan la adolescencia. Lo reconoce el 42% de las familias españolas, mientras el 57% de ellas afirman estar comprometidas con la educación de sus hijos. Así lo refleja el estudio *Valores y pautas de interacción familiar en la adolescencia (13-18 años)*, publicado en 2002 por la Fundación Santa María y realizado por la catedrática de Antropología de la Educación Petra María Pérez Alonso-Geta y la profesora de Teoría de la Educación y Pedagogía Familiar Paz Cánovas. Estas expertas constatan en el informe: «Estamos en una tendencia general de desorientación e impotencia por parte de ciertos padres en el ámbito de la relación con sus hijos adolescentes». Y continúan: «La naturaleza de la relación de un adolescente con sus padres es de una importancia extraordinaria, pues está intentando crecer en todos los sentidos, y los padres deben ayudar a no imponer ni frenar este proceso. El tipo de relación padres-hijos establecido en la infancia va a tener una influencia decisiva en la adolescencia».

Si los maestros están hoy en día desorientados con respecto a la educación, cómo no iban a estarlo los padres. Esta circunstancia se ha agudizado en los últimos 20 años debido a condicionantes como el cambio de las estructuras familiares, la incorporación de la mujer al mundo laboral, el vertiginoso avance de las nuevas tecnologías y el aumento de la exigencia a las escuelas sobre los contenidos y sobre las habilidades y valores en los que actualmente se considera que deben educar a los alumnos. Décadas atrás, el papel de la escuela y la familia en la educación de niños y jóvenes estaba mucho más definido y organizado. El desconcierto de hoy en día reside sobre todo en el hecho de que los cambios sociales que se han producido, y se seguirán produciendo, han sido muy rápidos.

La generación de los padres de los años sesenta también era muy distinta de la de los años cuarenta. ¿Cuál es entonces la diferencia? Estriba en que la vida ha cambiado en los últimos 20 años mucho más de lo que lo hacía antes en 60. Esto provoca que las generaciones se acorten, de forma que es probable que muchos de los conocimientos que los estudiantes adquieren ahora en los colegios, en el año 2010 ya no tengan la misma validez, por obsoletos. Si estos cambios están influyendo en el mundo de la economía, de la empresa, su repercusión en el ámbito educativo —en la enseñanza, en los contenidos y, por supuesto, en los padres— es descomunal. Y el resultado es la desorientación generalizada, especialmente de los padres, que se sienten impotentes porque, por lo general, no conocen cómo funciona el mundo educativo ni saben cómo está repercutiendo todo esto en la educación ni qué pueden hacer ellos para adaptarse al nuevo papel con el que se han topado de bruces.

Se puede presumir que los niños que van bien tienen unos padres que se involucran en su educación. Pues no es así. Es verdad que quienes lo hacen tienen hijos que progresan normalmente, pero la evidencia que arrojan los resultados de las encuestas es que la mayoría de los padres no se implican si las cosas no se ponen feas. Mientras el niño va aprobando las asignaturas la familia se mantiene al margen. Pero esto, que a algunos padres les podría parecer razonable, conduce a que, si por algún cambio o eventualidad, empieza a empeorar, esas familias lo tienen mucho más difícil a la hora de solucionar el problema. No han acostumbrado, por lo general, a sus hijos desde pequeños a que ellos, sus padres, son los supervisores de su trayectoria, ni les han inculcado los hábitos de estudio necesarios.

¿En qué les cuesta implicarse a los padres? En aspectos como la exigencia del rendimiento escolar a los hijos, el seguimiento de sus estudios, la organización del "tiempo de deberes" de los niños, la transmisión de valores y afición por la lectura, así como la enseñanza del valor del esfuerzo y su relación con el premio y el castigo. Pero un alto porcentaje dice que no lo hace porque no sabe cómo. Cuando los niños son pequeños, el agobio puede más a los progenitores que la preocupación por tomar cartas en el asunto, y suelen dejar pasar el tiempo hasta que aparecen las primeras complicaciones. Pero entonces puede ser demasiado tarde para reconducir la educación del niño o del adolescente. El porqué de esta situación tiene varias explicaciones.

Se ha producido un giro radical en las relaciones entre padres e hijos. Una buena parte de los progenitores actuales, los que se criaron antes de la llegada de la democracia, manifiestan cierta tendencia a hacer con sus hijos lo contrario de lo que sus padres hicieron con ellos. Son los que proceden de un ambiente autoritario en el que el padre, más que la madre, decía al niño o joven lo que debía hacer «porque sí», sin darle ninguna explicación ni opción. El modo de operar de los padres actuales es precisamente el opuesto, lo que sin duda acarrea consecuencias positivas, pero también algunas negativas que dan lugar a numerosos problemas en las relaciones con sus hijos.

«Como madre sabes que no debes dejar a tus hijos beber cerveza con 10 años y sí con 16, pero no sabes cómo debes actuar cuando crees que debes cortarles las alas en algo en lo que se están pasando de la raya. Entonces te entran todo tipo de dudas: ¿Estaremos siendo demasiado autoritarios?, ¿estaremos exagerando?, ¿tendrá razón cuando dice que sus amigos también lo hacen?, ¿le estaremos perjudicando?» María Luisa L. G., que acaba de pasar la treintena y tiene dos hijos, un niño de 13 años y una niña de 9, resume así sus inquietudes.

Las preocupaciones de esta madre suenan conocidas a muchos padres. Ángel A. J. tiene un hijo de 12 años y es además profesor de educación secundaria en un centro público de Andalucía. Explica así la situación: «Se ha pasado de una dictadura a una democracia y, para los padres que estamos montados en el péndulo, es difícil alcanzar un equilibrio y fácil llegar a la anarquía en la tolerancia. Hasta que llega un momento en el que te das cuenta de que te has pasado con esa permisividad. Pero con los hijos es muy difícil retroceder». Y reflexiona: «Para los que nos criamos en otra época resultaría muy desagradable que un hijo nos pudiera llegar a tachar de dictadores, y lo evitamos a toda costa».

Hay otro grupo de padres, la mayoría con hijos en primaria, que vivieron los últimos años de la dictadura española siendo muy niños y que no se vieron sometidos a una educación tan rígida como los que nacieron una década antes. Se trata de la generación fruto del *baby boom* de mediados de los sesenta. Éstos fueron educados de acuerdo con pautas más neutras, derivadas de la apertura de la incipiente transición política. Sin embargo, fue una generación —quizás la última— que no llegó a vivir durante su paso por las aulas de primaria y secundaria el auge del consumismo y de las nuevas tecnologías, dos aspectos que diferencian de forma crucial la educación de hoy en día de la que recibieron tanto los padres actuales más jóvenes como los que crecieron con el franquismo.

Esa permisividad la perciben los propios jóvenes, como aparece reflejado en los sondeos de opinión que realiza el Instituto de la Juventud. En las conclusiones de una reciente encuesta de este organismo, realizada a jóvenes de entre 15 y 29 años de toda España, se señala que el 47% considera que su padre es poco estricto y el 54% que su madre es poco estricta. Cuando se les pregunta con qué frecuencia se habla en su casa de sus estudios o de su trabajo, la mitad dice que con bastante frecuencia y el 30% que con mucha frecuencia. En estos resultados influye el hecho de que los jóvenes a los que se realizó la encuesta están ya en una edad de toma de decisiones sobre su futuro profesional. Llama también la atención lo poco que hablan en sus casas de temas sexuales: el 39% de los encuestados dice que se habla con poca frecuencia de los anticonceptivos y el 28% dice que no abordan el asunto.

Las opiniones de los jóvenes sobre sus estudios, su trabajo y su futuro académico y profesional coinciden en bastantes ocasiones con las de sus padres y aproximadamente la mitad de éstos intentan acordar con sus hijos las decisiones que les afectan (Anexo 1).

Las familias están muy concienciadas de la importancia que tiene la educación, más que en otras épocas, en las que los padres eran conscientes de que, si transmitían a sus hijos unas buenas actitudes y les daban una buena formación, éstos tenían posibilidades de salir adelante. No hacía falta un nivel muy alto de estudios para lograr una prosperidad económica y encontrar un trabajo. Ahora la gran mayoría de las familias son conscientes de que la educación que reciban sus hijos es la única garantía que tienen para abrirse camino en el futuro. O progresan en los estudios o no les irá bien en el futuro. Esta percepción hace que las familias vivan con más angustia los problemas escolares que las de antaño. También esa inquietud es la responsable de que la mayoría de los padres estén menos preocupados por el nivel de conocimiento que alcancen sus hijos que por las posibilidades de progreso educativo y social que tengan. Por eso, casi todas las familias quieren que sus hijos vayan a la Universidad. Sin embargo, ese porcentaje es muy superior al de aquellos que acaban haciéndolo.

El 80% de las familias desea que sus hijos cursen estudios universitarios, pero sólo lo hace alrededor del 35%, según se recoge en el estudio del Instituto Idea antes mencionado. Las expectativas de los propios hijos son muy similares a las de sus padres. Hay que decir que tanto unas como otras descienden cuanto más bajo sea el nivel socioeconómico de la familia. Pero incluso en las más humildes, la expectativa de ir a la Universidad no desciende del 60%.

La percepción de los padres no va desencaminada. Aunque es cierto que muchos titulados universitarios ocupan un puesto de trabajo inferior a su cualificación, también lo es que, si son universitarios, aumentan sus opciones de prosperar. El peso que tiene la Universidad hoy en día en la conciencia colectiva de la sociedad española es enorme. Y, si bien es verdad que para encontrar empleo en algunas ramas profesionales no hace falta una titulación superior, si se mira al futuro, se observa que una persona tiene más posibilidades de ascender laboralmente cuanto mayor nivel de estudios haya alcanzado. Además, el prestigio social de los trabajos para los que no se requiere un título universitario es menor, lo que inevitablemente se refleja en el mundo laboral. Éste es un dibujo de la realidad, de lo que está pasando, a pesar de que no sea lo deseable. Sería mucho mejor que la sociedad valorara más los estudios de formación profesional y que los alumnos pudieran elegir exclusivamente por sus intereses personales y profesionales, sin tener que pensar en el prestigio social.

Todos estos cambios han provocado, por tanto, que la mayoría de los estudiantes de hoy vivan en un entorno familiar excesivamente permisivo y que tengan además un fácil acceso a cualquier tipo de información. Esto les proporciona muchos recursos para aprender, pero también para otras cosas, como usar el chantaje emocional. Los niños del siglo XXI son muy conscientes de sus derechos como menores, algo que generaciones anteriores ni imaginaban, pero no siempre hacen buen uso ante su familia y sus profesores de ese logro tan importante. El problema radica en que muchos niños no son igualmente conscientes de sus deberes, y es difícil que lo sean si en casa no se les enseña.

¿Cuáles son entonces los elementos necesarios para que todo funcione? «Los padres y madres que funcionan bien con sus hijos son los que tienen correctamente estructurados los afectos, los que reconocen que al trabajo del niño hay que ponerle el contexto adecuado (como apagar la televisión y sentarle en su mesa de estudio) y que hay que tener un contacto fluido con el colegio», explica el pedagogo Luis Ruiz del Árbol, director del Centro de Actividades Pedagógicas de la Fundación Tomillo, una organización especializada en la educación en zonas socialmente desfavorecidas. «Tengo una experiencia fabulosa con madres que eran geniales a la hora de educar a sus hijos. No se trata de ayudarles en matemáticas, en los contenidos, sino de la actitud, el reconocimiento, enseñarles el esfuerzo, preocuparse de que estudien, preguntarles, escucharles, seguirles a diario.»

Cada individuo es fruto de dos factores: la herencia y la educación. Esa herencia procede de la familia, que debe actuar como una escuela en donde padres e hijos reflexionen juntos. Pero es importante no confundir la función de la escuela con la de la casa. A la casa le corresponde la tarea de estimular, de hacer un seguimiento, de dirigir la maduración. Y a la escuela, de motivar, estructurar, ayudar a comprender y socializar. Dice Ruiz del Árbol que «todos los padres quieren lo mejor para sus hijos y unos niños con unos padres muy incultos, si éstos tienen una gran motivación para que sus hijos aprendan, y se lo manifiestan, lo harán». Se trata de escuchar al niño, preguntarle, pedirle que muestre lo que ha hecho o los deberes que tiene. Esto, hecho de forma continuada, añade valor a la educación de los niños, y es algo que se debe realizar desde que son pequeños.

Una de las primeras cosas que los padres deben tener presente es que, aunque logren tener una buena relación con sus hijos cuando son niños, es muy posible que se estropee más adelante (generalmente, en la adolescencia), pero lo normal es que se vuelva a arreglar después. Puesto que la ocupación central de los niños, a la que dedican más horas al día, son los estudios, para ellos es muy importante comprobar, y no sólo suponer, que sus padres les conceden mucha importancia.

En definitiva, el niño debe percibir que sus padres reconocen la importancia de sus actos, establecen los límites relacionados con sus posibles conductas y les estimulan para el estudio y el aprendizaje. Los padres deben organizar con él el tiempo de estudio, exigirle que lo cumpla y preguntarle después por lo que ha hecho. Con un seguimiento como éste, el niño se percatará del valor que sus padres le dan a sus estudios. Todo se resume en una cuestión: actuar pensando primero en el niño. Si no, por muchas expectativas que se tengan en torno al futuro de los hijos, mal se les estará ayudando para que las lleven a cabo.

Capítulo II

La organización del tiempo

«Malgasté mi tiempo, ahora el tiempo me malgasta a mí», se lamentaba William Shakespeare. Aunque la importancia de aprovechar el tiempo no es algo contemporáneo, nunca como ahora nos ha preocupado tanto.

Frente a la relevancia que a principios del siglo pasado se les daba a las teorías sobre la organización del trabajo para lograr la máxima eficacia en los procesos industriales, en la actualidad abundan los libros y cursillos destinados a ejecutivos sobre cómo sacar el mayor partido día a día a su jornada laboral. Pero no es fácil encontrar libros que traten sobre cómo aprovechar el tiempo no laboral para dedicar una parte a los estudios de los hijos y, en general, a la familia. A pesar de que posiblemente muchos padres se planteen a menudo que deben dedicar más tiempo a sus hijos, pocos acaban haciéndolo. Quizás por esta razón el mercado, que normalmente sabe de estas cosas, no ha visto aún un hueco claro para los libros sobre cómo encajar el conjunto del tiempo familiar en el acelerado mundo laboral del siglo XXI.

La falta de flexibilidad de la jornada de trabajo complica la distribución del tiempo que se pasa en familia, especialmente cuando no se trata de dedicárselo sólo al ocio, sino a otras tareas, como organizar el estudio de los hijos. Para planear bien el tiempo familiar común hay que empezar por analizar de cuánto se dispone y cómo repartirlo. Algunos estudios destinados a otros fines sirven para detectar, por ejemplo, las horas del día que las familias suelen dedicar al ocio (esto lo han comprobado los sondeos de audiencia de los medios de comunicación) o las diferencias en la distribución del tiempo entre hombres y mujeres (que se analizan a menudo con el fin de comprobar la eficacia de las políticas que promueven la igualdad entre géneros).

En cuanto a la utilización que de su tiempo hacen los jóvenes, se trata de algo poco estudiado, como reconocen Domingo Comas y Josune Aguinaga en *Cambios de hábito en el uso del tiempo*, publicado hace unos años por el Instituto de la Juventud. «Las investigaciones han sido escasas porque se ha carecido de un elemento teórico de partida, similar al de las políticas de igualdad entre géneros.» Estos expertos declaran que tal situación está relacionada, por un lado, con que el interés institucional dominante en los estudios del tiempo en los jóvenes se centra demasiado en las actividades de ocio y, por otro lado, con las dificultades para enfocar y cuantificar una línea de investigación sobre el tiempo de los jóvenes que pueda además influir en que se lleven a cabo políticas en este sentido, como ocurre con los informes sobre la igualdad entre hombres y mujeres.

Comas y Aguinaga analizan en su informe la asistencia a clase de los estudiantes y las horas que dedican al estudio. Una de las conclusiones es que la asistencia a clase es similar en el caso de las chicas y de los chicos, aunque, cuando pueden escoger entre horario de mañana y de tarde, como ocurre en la educación secundaria, hay más chicas que prefieren ir por la mañana y más chicos que prefieren ir por la tarde.

Con respecto al estudio en casa, las chicas le dedican más tiempo los días laborables, sea cual sea la franja horaria que se analice. Los fines de semana, añade este informe, las diferencias entre ambos sexos son aún mayores: casi a cualquier hora, especialmente por las tardes, hay siempre más chicas que chicos estudiando. La excepción es el sábado por la mañana, tiempo que eligen para estudiar chicos y chicas por igual. El informe añade que «dedicar horas al estudio es una actividad preferentemente femenina» y que este hecho se refleja en unas mejores notas medias de las chicas frente a los chicos. También explica que tras este hecho «se esconden algunas realidades sociales que tienen poco que ver con las supuestas capacidades innatas de cada género». Es decir, en un mundo que aún no ha logrado la igualdad de oportunidades para ambos sexos, las chicas perciben que tienen que estudiar más para competir con sus compañeros.

La información que aportan estas investigaciones sirve para configurar una organización del tiempo común de los miembros de la familia. Al hacerlo, hay que tener en cuenta que los niños y jóvenes tienden a considerar el fin de semana como un tiempo para dedicar al ocio y el resto de los días, al estudio. Por eso, es conveniente que las actividades académicas se concentren en los días laborables y que las que se dejen para el fin de semana sean de aprendizaje no formal o estudio recreativo. La excepción serían los fines de semana previos a los exámenes que en una situación ideal, no deben dedicarse al estudio, sino al repaso de los temas ya aprendidos.

Si los padres hacen un seguimiento semanal de los contenidos que están aprendiendo sus hijos, les resultará más fácil organizar los sábados y domingos actividades relacionadas con ellos. Por ejemplo, ir al Museo Arqueológico de Madrid a contemplar la reproducción de las cuevas de Altamira, ver en el teatro la obra de Enrique Jardiel Poncela *Eloísa está debajo de un almendro* o el musical basado en la historia para niños inventada por la escritora francesa Jeanne Marie Leprince de Beaumont *La bella y la bestia*, alquilar el vídeo de National Geografic sobre la vida de los delfines o sobre los canguros australianos, o marcharse fuera de la ciudad a buscar setas o árboles de hoja perenne para hacer un álbum con las propias hojas o con fotografías de las mismas.

Las nuevas tecnologías pueden ser muy útiles para los padres cuando se plantean organizar actividades educativas y proponer alternativas a sus hijos para aprenderse los temas o para hacer trabajos. Tras el éxito de las cámaras de vídeo domésticas, algunos colegios proponen a sus alumnos que las utilicen para determinadas actividades escolares. Una profesora de inglés les puso como tarea por grupos redactar una escena en la que participaran todos los miembros del equipo, recrearla después y grabarla con una videocámara. Los chicos acordaron grabar la escena en la casa de uno de cada grupo y el resultado fue excelente. Practicaron la redacción, la pronunciación, la interpretación y el trabajo colectivo. Después dedicaron una clase a poner en común los trabajos de todos y darles una puntuación.

Este tipo de actividades también las puede hacer el niño con sus padres, grabando por ejemplo un viaje a una ciudad o al campo y presentarlo a su profesor como trabajo. Se pueden alternar comentarios hablados del niño con imágenes del lugar. Y el alumno puede solicitar previamente del profesor al que le va a entregar este trabajo ciertas indicaciones sobre las tomas que debe captar. Es difícil que experiencias como ésta se le olviden al niño.

Otra de las cuestiones que más preocupan a los padres es el tiempo que deben dedicar sus hijos a actividades extraescolares. Los avances sociales de las últimas décadas, especialmente la incorporación de la mujer al mundo laboral, han provocado un efecto multiplicador de estas actividades. Son ocupaciones que tienen un efecto muy positivo porque, bien elegidas, sirven para complementar los estudios; pero es negativo su efecto cuando el niño se ve sobrecargado por ellas o cuando se programan mal. Es difícil, una vez más, encontrar una norma sobre este tema, pero sí hay unas pautas generalmente aceptadas. Por un lado, está el tiempo idóneo que el niño debe dedicar a estas actividades, por otro, cuáles elegir y cómo distribuirlas.

La *Evaluación de Educación Primaria*, realizada por el Instituto Nacional de Calidad y Evaluación (INCE) del Ministerio de Educación en 1999 entre 10.743 alumnos de sexto de primaria (de 11 y 12 años), señala que la actividad realizada con más frecuencia (por el 66% de los niños) después de clase es jugar en casa o con los amigos. Le siguen hacer deporte (59%) y, a gran distancia (rondando el 15% cada una), estudiar idiomas, música, e informática. A la cola están otras actividades como la danza, las manualidades y asistir a clases de recuperación o de apoyo. El 37% de los escolares practican una sola de estas actividades, el 35% realizan dos, el 19% tres y el 6% cuatro.

Sobre el tiempo idóneo, aunque depende de la edad del niño, se estima que es de entre cuatro y seis horas semanales a partir de los ocho años. Dicho de otra forma: no dedicar más de dos o tres días laborables a estas ocupaciones. Hay que tener en cuenta que necesitan tiempo a diario para estudiar y también para entretenerse como deseen. El sábado y el domingo cuentan aparte. Es fundamental que el niño considere las actividades extraescolares como una diversión. Por eso, conviene decidirlas con él, no imponérselas. Esto hará que se cumpla algo importante: que el niño no salte cada año de una afición a otra sin llegar a profundizar en ninguna. El ejemplo clásico es el de las clases de piano o violín. ¿Cuántos adultos hay con un recuerdo oscuro de aquel año en el que tuvieron que aprender a tocar un instrumento porque sus padres estaban empeñados en que actuase en la función de fin de curso?

El aprendizaje de la música es sumamente enriquecedor. Ayuda además a desarrollar habilidades que al niño (y después al adulto) le servirán para fomentar su capacidad de concentración, de cálculo matemático («la música es la aritmética de los sonidos», en palabras del compositor francés Claude Debussy) y su sentido del ritmo. Y en el futuro esto le valdrá no sólo a la hora de escuchar o interpretar música, sino también, por ejemplo, a la hora de escribir, de construir frases, sea con notas o con palabras.

Pero para aprender a leer el «verdadero lenguaje universal» —como solía denominar a la música Carl Maria von Weber— son precisas mucha constancia y paciencia, algo que pocos niños tienen. Y gusto por ello, para lo que haría falta —una vez más— disponer de tiempo para escuchar con él música parecida a la que esté aprendiendo a leer.

En resumen, la música es una actividad extraescolar estupenda, pero hay que ser conscientes de que su aprendizaje requiere un gran esfuerzo y que no basta con ir a clase: el niño tendrá que estudiar un poco (inicialmente un cuarto de hora, pero, a medida que avance, mucho más) de teoría o práctica todos los días. Aquí entramos en la elección de las actividades. Si se escoge, por ejemplo, que el niño asista a clase de piano una vez a la semana, es conveniente que la otra actividad que se elija sea de puro ocio y que no requiera (como ocurre con la música) una carga más en el estudio diario del niño. La alternativa más clara son los deportes. Otra posibilidad para los chicos que tengan suficiente con el deporte que practican en el colegio son las clases de teatro, de pintura e incluso de cine, que ya se empiezan a ofrecer para niños.

Miguel Gómez, padre de dos hijas (una de 18 y otra de 24 años que han estudiado en un colegio concertado) cuenta que, según su experiencia, se dan muchos casos de padres que apuntan a sus hijos a demasiadas actividades después del horario escolar. «Hay padres que quieren hacer con sus hijos lo que ellos no han hecho. Quieren que realicen lo que tienen que hacer más lo que no han hecho ellos. El exceso es un error. Luego llegan al colegio y les preguntan por qué no han estudiado. Y es que no les ha dado tiempo. Algunos profesores, evidentemente, se quejan de esto, de los padres que quieren que sus niños hagan demasiadas cosas y no dejan el tiempo principal para estudiar. Que hagan alguna actividad vale, pero siempre que no sea a costa de dejar poco tiempo al estudio en casa.»

Si se opta por ocupar al niño en una tercera actividad, se debe tener en cuenta el esfuerzo conjunto que le van a requerir las tres y procurar que no coincidan dos el mismo día. Otra posibilidad es que realicen una actividad que sea creativa y recreativa los sábados o domingos por la mañana. Lo típico es que se apunten al equipo de fútbol o baloncesto del colegio, que suelen entrenar los fines de semana, pero se puede elegir cualquiera (siempre que el niño esté motivado para ello) que complemente sus conocimientos escolares y le ayude a saber más, como ocurre con la música. Algunos ejemplos son los cursos que la Academia de Ciencias organiza dirigidos a niños a los que les gusten las matemáticas, y las actividades en inglés (como salidas al campo de un día o visitas a museos) que ofrecen determinadas academias o colegios, por iniciativa de la asociación de padres o de algún profesor.

Volviendo a la organización del tiempo de estudio, y con independencia de los hábitos de estudio que el niño haya adquirido, los expertos aconsejan que se asesore a los estudiantes a partir de una edad sobre cómo planear su jornada y sobre las mejores formas de estudiar. La idea es que empiece a ser consciente de las alternativas para que él mismo se vaya organizando cuando deba abordar contenidos más complejos e incluso para que sea consciente de cómo y cuándo rinde mejor. Esto le será muy útil si llega a cursar estudios superiores.

Los pedagogos norteamericanos han establecido una pauta muy práctica a la que llaman «la regla de los 10 minutos»: «La duración del periodo de estudio debe durar 10 minutos por cada curso escolar en el que esté el alumno». Esto es: un niño que esté en 1° de primaria (de 6 años) debe estudiar en casa 10 minutos al día como mucho, uno que esté en 5º de primaria (10 años) lo hará durante un máximo de 50 minutos y otro en 3º de Educación Secundaria Obligatoria (ESO) le dedicará una hora y media diaria. En España, la educación obligatoria se divide en primaria, que tiene seis cursos y se empieza con 6 años, y ESO, compuesta por cuatro cursos y que se acaba con 16 años.

Aparte de esta regla, que puede servir como referencia, no existe una norma aceptada de forma general sobre el tiempo que los niños han de dedicar a los deberes. Ciertos pedagogos consideran que no deberían existir los deberes hasta que los niños estén en la educación secundaria, excepto en casos muy extraordinarios, mientras otros creen que son imprescindibles desde que el niño empieza la educación obligatoria, a los 6 años. La opinión más generalizada es que debe familiarizarse con ellos desde primaria para que de esta manera se vaya haciendo a la idea de que tiene que estudiar en casa, e ir aumentando la cantidad según se va haciendo mayor. La única y obvia realidad es que el tiempo depende de lo que necesite cada niño, por sus capacidades y habilidades, pero también es cierto que, cuanto más hábito de estudio tenga, más le cundirá.

Los objetivos de los deberes son variados. En algunos casos permiten que los niños que van más rezagados o a los que les cuesta más aprender alcancen al resto. Cuando esto ocurre, la programación de las tareas y el tiempo que en ellas ha de emplear deben hablarlo los padres y el tutor de la clase del niño. En la mayoría de los casos, los deberes persiguen la finalidad de ampliar y consolidar contenidos determinados, así como la de aprender a recopilar documentación sobre los temas explicados en clase.

No dedicar el tiempo suficiente a los deberes durante el curso provoca que al final le falte tiempo para aprender bien los conocimientos y, por lo tanto, para alcanzar los objetivos mínimos de aprendizaje marcados para su edad. En consecuencia, es importante que tanto los padres como el propio alumno se conciencien de la importancia de ejercer un control sobre el tiempo de estudio diario.

No hay que perder de vista, además, que, al igual que le ocurre al trabajador de una empresa, el niño no rinde por igual durante todo el tiempo que permanece sentado ante la mesa de estudio y que está sujeto a interrupciones a veces inevitables: en el mejor de los casos, la llamada de un compañero para consultarle algo o la pregunta de un hermano menor. Por muy bien que se organice su tiempo, es posible que llegue a perder una cuarta parte debido a esos imprevistos. Y los padres deben tener esto presente a la hora de programar el tiempo de estudio de sus hijos.

Los expertos en estas cuestiones aseguran que «la planificación del tiempo ahorra tiempo». Éstos son seis consejos que pueden servir de ayuda para organizarse y aprovechar mejor la parte del día destinada a estudiar:

1.—Anotar en una agenda el tiempo que se le va a dedicar al estudio, todos los deberes del día y lo que aproximadamente va a llevar cada uno.

2.—Dedicar 5 o 10 minutos a elaborar la lista de las tareas que hay que realizar ese día. Ordenarlas e ir tachándolas según se vayan acabando.

3.—Pasar de puntillas sobre lo superficial y dedicar más tiempo a los temas fundamentales de las lecciones y, dentro de éstas, a comprender los párrafos en los que se condensa la información especialmente relevante.

4.—Ponerse a estudiar desde el principio y dejar las tareas de organización de apuntes o recopilación de datos para el final. En los primeros minutos de concentración se rinde más que en los últimos, por lo que es mejor abordar antes las tareas más pesadas.

5.—Cuando surjan problemas, algo que no se entiende, no detenerse si es de poca envergadura y no afecta a la comprensión general del tema. Pero apuntarlo siempre en la agenda de estudio para resolverlo luego o preguntárselo al profesor. Es útil crear cada día una nueva lista de preguntas pendientes.

6.—Si el niño no está habituado a trabajar de una forma organizada, es decir, si tiene malos hábitos, procurar cambiárselos poco a poco para que no se agobie. Planear el proceso que se va a seguir, explicárselo y establecerlo de mutuo acuerdo. Se puede empezar por elaborar la programación semanal del horario que el niño debe dedicar al estudio y seguir por que se habitúe a anotar las tareas cada día.

Capítulo III

El estudio con los hijos

¿Qué padre o madre puede resolver una ecuación de segundo grado o explicar a su hijo los principios filosóficos de la Ilustración? Es cierto que siempre cabe la posibilidad de preguntarle a ese amigo que trabaja de contable en su empresa o de buscarlo en una enciclopedia. Pero, ¿a diario? Parece bastante inviable. Se trata más bien de *sobrevolar* a los hijos mientras hacen sus tareas y de plantearse cuando aún son pequeños los valores o actitudes que se les quieren transmitir. Pero, antes de analizar cómo se le puede ayudar a adquirir el hábito de estudio, hay que pensar en la importancia que tiene esto para el niño.

Los padres deben empezar por plantearse, en palabras de Federico Mayor Zaragoza, que «el hijo es lo primero». El ex director general de la Unesco, científico y gran defensor de los derechos de la educación y de la infancia lo explica así: «Siempre hablamos de la enseñanza, nunca del aprendizaje. Siempre de los problemas de los profesores, nunca de los de los alumnos. Siempre de los padres, nunca de los hijos. Cuando, por ejemplo, se plantean temas de la adopción por parejas de hecho, siempre digo lo mismo: yo no pienso en las parejas, pienso en los hijos. Lo mismo ocurre en la educación. Hay que hablar de los alumnos, de los hijos y hablar del aprendizaje. Porque a los únicos que podemos modificar todavía es a los niños y adolescentes, a los adultos hay que aceptarlos tal y como son».

Mayor Zaragoza advierte que hay que tener en cuenta que «la educación es un proceso que dura toda la vida pero que tiene un periodo en el cual son los principios, valores e ideologías de los padres o tutores los que deben marcar el camino». Y añade que «luego los maestros tienen que dar una educación que esté de acuerdo con esos principios, y, cuando los niños sean adultos, ya elegirán lo que les interesa. Pero, hasta entonces, es algo que se debe hacer pensando en su bien, no en el de los padres. Si es una lata, es que se está pensando en uno mismo. Hay que dedicarle tiempo al niño y detenerse a explicarle por qué pensamos que determinada cosa no la debe hacer, por qué no está bien».

Federico Mayor Zaragoza, que preside la Fundación Cultura de Paz, cita palabras de la chilena Gabriela Mistral, premio Nobel de Literatura: «Somos culpables de muchos errores pero nuestro peor crimen es abandonar a los niños, ser negligentes con la fuente de la vida. Muchas de las cosas que necesitamos pueden esperar. Los niños no pueden. El tiempo es ahora... No podemos contestarles: "mañana". Su nombre es hoy». Este fragmento forma parte de una composición titulada precisamente «Su nombre es hoy» y recoge —según esta personalidad internacional— algo que no se puede olvidar: «La educación de los niños no puede esperar. Se les puede hacer un daño tremendo si se deja pasar el tiempo porque el niño es como un árbol tierno: el tallo todavía se puede modelar, se le pueden poner algunos cordeles y hacer que crezca recto, pero, una vez que ha echado el tronco, se le ponga lo que se le ponga, si ese tronco va de un lado para otro y está cimbrado no hay posibilidad de reconducirlo».

Llega un momento en el que difícilmente a los hijos se les puede corregir. Por eso hay que tomar las medidas oportunas durante la infancia y la adolescencia, hasta el momento en que se independicen. El compromiso de los padres y de la sociedad de educar a los niños debe durar hasta la edad de emancipación, señala Mayor Zaragoza. Eso está muy bien reflejado en el artículo 27 de la Convención de los Derechos del Niño, al igual que en el artículo 26 de la Declaración Universal de Derechos Humanos. Esto aparece además desarrollado en la Convención de Derechos del Niño, de 1989 (Anexo 2).

El futuro dependerá de «la calidad de los niños», asegura Federico Mayor Zaragoza: «Si los niños crecen en el desamor, con la impresión de que todo ya está decidido, de que los medios de comunicación hacen y dicen lo que quieren, de que los gobiernos toman las decisiones que les da la gana, entonces no nos podremos quejar si ellos son personas con un comportamiento caótico y sin puntos de referencia. Porque eso es lo que les hemos mostrado. Los niños y adolescentes son la piedra angular del edificio del mañana. Por eso tenemos que cuidar a todos los niños, además de a nuestros hijos».

Centrándonos ya en un plano más particular, conviene recordar que participar en la educación de un niño es también una enseñanza para los adultos. De hecho, muchos padres con hijos ya mayores suelen referirse a esta cuestión: «Vas aprendiendo a educar a tus hijos según lo vas practicando con uno y con otro. Pero cuando ya sabes cómo hacerlo, no te queda ninguno al que educar», comenta Abilio R., padre de dos hijas. Paulo Coelho escribe en *El alquimista:* «Un niño siempre puede enseñar tres cosas a un adulto: a ponerse contento sin motivo, a estar siempre ocupado con algo y a saber exigir con todas sus fuerzas aquello que desea». Porque los padres que enseñan a sus hijos aprenden también mucho de ellos a lo largo de su vida.

En un episodio de la serie de televisión *Cuéntame*, el pequeño de la familia protagonista le pregunta a su padre el significado de una palabra. El padre, interpretado por Imanol Arias, no lo conoce, pero *pone cara de póquer*, le da una excusa para salir del cuarto y se mete en su habitación. Abre un armario del que saca una voluminosa enciclopedia, busca el término y repite varias veces su definición en voz alta para memorizarla. A continuación vuelve al salón de la casa y, haciéndose el despistado, se dirige al niño: «¿Qué decías?». El niño le repite la pregunta y el padre le responde sin vacilar. Le deja impresionado.

Ésta es una escena seguramente muy común, sobre todo en los años en los que está ambientada la serie, la década de los sesenta. Pero como sistema, dicen los pedagogos, no es nada recomendable. No se aconseja a los padres que enseñen mediante el engaño, es mejor reconocer que no saben la respuesta y buscarla junto con su hijo en un diccionario. Además, el niño se acaba siempre dando cuenta de lo que pasa, cuando cumple unos años más.

El director del Centro de Actividades Pedagógicas de la Fundación Tomillo, Luis Ruiz del Árbol, especializado en la educación de niños de sectores socioeconómicos desfavorecidos, expone las características de los padres que logran educar adecuadamente a sus hijos: «¿Cuándo encuentras padres y madres que funcionan bien? Cuando tienen bien estructurados los afectos, cuando reconocen que en el trabajo del niño hay que poner los medios adecuados y cuando mantienen una buena relación con el colegio. Yo he tenido experiencias con madres analfabetas que eran geniales en la atención de sus hijos, a las que no les hacía falta saber hacer quebrados».

En relación con los deberes, este profesional insiste en que «los padres no pueden sustituir al niño» en estas tareas. «Pueden poner las circunstancias para que el niño progrese, para que el niño los haga, para que el niño valore y entienda que hay que hacerlos, pero ese desarrollo personal es inevitable, estamos hablando en el campo de los ideales. Por eso, los colegios deben promover iniciativas que hagan las cosas más fáciles, como organizar unas agendas donde el niño, desde 1º de primaria hasta 4º de la ESO, hace sus dibujos, y donde los maestros le piden que apunte la tarea que hacer. Y todos los días se revisa la agenda. Eso crea un orden, una metodología, y sirve además de comunicación diaria entre los padres y el profesor.»

El catedrático de Sociología de la Universidad de Salamanca Mariano Fernández Enguita subraya que hay que tener presente la enorme variabilidad entre las familias: «Las que tienen un cierto nivel cultural valoran más la educación y tienen su propio criterio sobre el esfuerzo que deben hacer sus hijos en el estudio, y están en situación de controlar y ayudar a los niños. Pero, si hablamos en general, podemos concluir que hay un desconcierto de las familias y una tendencia a ceder ante los hijos, de tirar la toalla cuando tienen que pelear con el niño día a día para que estudie. A menudo la discusión empieza cuando el hijo dice: "Es que mis amigos lo hacen", y ahí empieza el desconcierto».

Prosigue Fernández Anguita que se trata de «un fenómeno social que se debe a una corriente educativa más permisiva como reacción a la formación autoritaria que imperaba décadas atrás, en los años cuarenta o cincuenta del siglo XX, en todo el mundo». «A esto se ha reaccionado a partir de los años sesenta, y es algo que se está pagando con el desconcierto a la hora de educar a los hijos. Pero los padres no deben dimitir de la educación, deben acertar o equivocarse, aunque la tentación es la de resignarse porque evitan así problemas personales.»

Si el niño no ha entendido alguna cosa, el papel de los padres es recomendarle que recurra a su profesor. Lo contrario podría llevar a la negación de la enseñanza en la escuela, algo bastante peligroso, ya que conduciría entonces a cuestionarse si están capacitados los padres universitarios para educar ellos mismos a sus hijos sin necesidad de los docentes. La respuesta es que no. La escuela, además de aportar muchas otras cosas y estar especialmente preparada para transmitir conocimientos, desempeña el importante papel de compensar la desigualdad de oportunidades que padecen los niños de familias de diferente nivel sociocultural. Pero, además, muchos de los conceptos que aprenden los niños no son nada fáciles de explicar y la forma de enseñárselos ha cambiado con respecto a cómo se los transmitieron a los padres en su tiempo. Y mezclar ambos criterios puede causar una gran confusión en el niño.

Un ejemplo. Ahora no se estudian los conjuntos en Matemáticas. Cabría reflexionar: ¿qué le aportaron a usted los conjuntos? Es posible que crea que nada o quizás simplemente ejercicio mental. Porque muchas veces se trata de entrenar las aptitudes para luego saber emplearlas de adulto, no siempre se persigue que los conocimientos tengan una rentabilidad práctica. En definitiva, lo que pretenden los colegios es que los niños trabajen, y mucho. Ejercitarles lo más posible con la mejor metodología de que se disponga.

Todo esto, que parece sencillo, se complica cuando se le añade la versión de los centros. Los profesores y responsables de los colegios explican que a menudo el curso escolar no es suficiente para abarcar el temario programado, y por eso se desarrolla en clase lo que da tiempo y del resto de los contenidos se encargan algunas veces los niños en casa. Esta justificación, aunque respetable, provoca algún que otro problema y reflexión. ¿No será que los temarios son demasiado amplios? O, pensándolo mejor: ¿No será que habría que revisar el planteamiento general de la enseñanza que se imparte en los centros, la distribución de tiempo escolar, la parte de cada materia que es viable abordar en el aula y la que el niño debe preparar por su cuenta, la bibliografía básica que ha de tener en casa para consultar ciertas dudas...?

Desde luego, pero llevará bastante tiempo. Mientras tanto, los padres tienen que afrontar el día a día. ¿Por dónde se empieza a hacer el seguimiento del niño? El hombre de negocios norteamericano James Ling, que construyó un *holding* empresarial a partir de la compañía eléctrica LTV Corporation, decía a sus empleados: «No me digas lo mucho que trabajas, háblame de lo mucho que haces». Aunque es evidente que el mundo de la empresa y el educativo son muy distintos, esta idea sí puede guiar a los padres en su responsabilidad para con los hijos.

La supervisión de los estudios del niño —además de planificar con él la tarea y sugerirle soluciones cuando no sepa qué hacer— también incluye asegurarse de que no lleva horas sentado ante su mesa distrayéndose con otras cosas: leyendo un tebeo, navegando por Internet, chateando con sus amigos..., en definitiva, vagueando. Consiste además en colaborar, no en hacerle las tareas. Reza un antiguo proverbio chino: «Los maestros son los que abren la puerta, pero eres tú el que debe atravesarla».

Lo recomendable es proporcionarles ya a los 7 u 8 años las herramicntas y luego ir retirándose poco a poco. También aportarles información complementaria para el trabajo que tengan entre manos en ese momento. Por otro lado, es bueno valorar lo que el niño hace, transmitirle que sus logros tienen mucha importancia cada vez que haga algo bien, entienda algún concepto difícil o saque una buena nota.

La mayoría de los padres son conscientes de la influencia de factores como la buena alimentación o dormir el tiempo suficiente en el rendimiento del niño, tanto en el colegio como en casa. Pero no lo son tanto de que igualmente repercute que exista un cierto orden en la zona de estudio del niño en casa, que no tenga cerca televisiones o radios encendidas que puedan distraerle ni nada que haga demasiado ruido (como los sonidos de la calle que se escuchan con una ventana abierta o conversaciones de hermanos o de personas mayores).

Es importante además que esté relajado. Si se encuentra nervioso o tenso, probablemente se distraiga más de la cuenta, no logre concentrarse para aprender contenidos nuevos y tenga prisa por resolver los ejercicios.

Con el fin de que el niño no se desmotive y de que se organice bien se puede establecer previamente con él un plan de trabajo. El primer paso es fijar unos objetivos basados en los deberes de ese día y ordenarlos de acuerdo con su dificultad. El lograr el objetivo marcado será lo que realmente le motivará a seguir adelante. El plan de trabajo debe ser flexible, de forma que si el niño se atasca en alguna tarea sepa que existe la posibilidad de cambiarlo.

Una vez que se ha cuidado el entorno y la predisposición del niño, el seguimiento diario puede consistir en preguntarle qué tareas le han asignado en el colegio y planificar con él por dónde va a empezar, qué dejará para el final y qué material de apoyo —diccionarios, enciclopedias, Internet...— va a necesitar para no tener que salir de su cuarto cuando ya esté concentrado. Después, conviene simplemente cerciorarse de que sabe cómo hacerlo, por ejemplo, elaborando esquemas o buscando información adicional. Generalmente, suele ser mejor que empiece por los deberes que le resulten menos difíciles o los de su asignatura preferida. De esta forma, los acabará con menos problemas y, al ver que avanza, se animará a seguir.

Durante el tiempo de estudio es recomendable que haga pausas pequeñas para evitar un exceso de cansancio, que no deje las cosas a medias y que intente diversificar las tareas —que no se limite siempre, por ejemplo, a la técnica de los esquemas, que la alterne con resúmenes o completando la información del colegio con datos o anécdotas que puede buscar en libros o en Internet—. Si los padres conocen perfectamente la respuesta a una duda que el niño les plantea pero no cómo explicársela, la mejor manera de hacerlo es utilizando el lenguaje de su hijo, sobre todo si es pequeño, y servirse de algún ejemplo.

Cuando acabe de hacer los deberes es el momento de ver si se han cumplido los objetivos que se marcaron y alabar sus progresos. Esto conseguirá que el niño se sienta motivado y recompensado, sea consciente de lo que ha aprendido ese día y cobre seguridad en sí mismo y en lo que puede lograr. A los padres les valdrá además para comprobar el ritmo de estudio de su hijo y ajustar a éste los tiempos como convenga.

En los casos, muy frecuentes, en los que los padres no puedan estar en casa en las horas en las que el niño está haciendo los deberes, se puede establecer un plan de estudio semanal, algo menos pormenorizado. Ese programa debe contemplar lo que al estudiante le ocupará aproximadamente cada tarea. Resulta útil clasificarla de alguna manera (por ejemplo, en A, B, C...), según la dificultad del contenido de que se trate, así como establecer un ritmo determinado de pausas en el estudio. El plan servirá de ayuda a la persona que esté en la casa con el niño para simplemente controlar que respete los horarios, que no se distraiga y que termine las tareas. Los padres deben otorgar autoridad a esa persona —en caso de que no sean ellos mismos— delante del niño para que haga este seguimiento y tome medidas si el hijo no lo respeta. Asimismo, cuando el niño es pequeño, conviene que el padre o la madre supervisen al llegar a casa si ha cumplido los objetivos prometidos y le pregunten por lo que haya aprendido. Si no lo hacen, no tendrán ninguna garantía de que rinde.

El hábito de estudio no es algo complicado de crear ni de mantener, si bien es verdad que hay que fomentarlo desde que el hijo es pequeño. No es común que los niños se pongan a estudiar solos cuando se les empiezan a asignar deberes. Lo aconsejable es sentarse con ellos y que los hagan delante de nosotros. Primero intentarán que sean otros quienes se los hagan, bajo el pretexto de que no saben o no entienden. Es muy probable que no sea cierto: pueden, pero no quieren. Entonces habrá que conducirles. Esta tarea inicial con los niños no requiere en realidad mucho tiempo (alrededor de media hora) pero sí mucha paciencia. Más adelante, unos cursos después, podremos constatar que ya han adquirido la disciplina necesaria y que se les puede dejar solos, siempre supervisándolos, al hacer los deberes.

De igual modo, conviene enseñarles a elaborar esquemas y a resumir cuando son algo mayores. En general, los padres no suelen estar en contra de que los niños hagan deberes, siempre y cuando no sea una cantidad exagerada. Si no los hacen desde pequeños es seguro que cuando crezcan (y cursen los últimos cursos de la primaria o la secundaria) les costará un auténtico sufrimiento mantenerse el tiempo necesario sentados en la mesa de estudio.

Los resultados de un sondeo realizado por las profesoras Amalia Reina y María Alburquerque de la Universidad de Córdoba —que se publicaron en la revista de la Confederación Española de Asociaciones de Padres y Madres de Alumnos (Ceapa) en su último número de 2002— señalan que el 45% de las familias está de acuerdo con los deberes y que el 52% sólo «a veces». En contra sólo se pronuncia el 3%. Sobre la utilidad de hacer tareas en casa, el 42% de los padres considera que sirven para «repasar, recordar o afianzar» lo aprendido en la escuela y sólo el 15% opina que sirven simplemente para «acabar» aquello que los niños no han tenido tiempo de hacer en la escuela. Otro dato interesante es el que se refiere a cómo hacen los deberes los niños de los primeros cursos de la Educación Secundaria Obligatoria (ESO), los que tienen entre 12 y 14 años. El 35% los hace solo, el 31% ayudado por su madre, y únicamente el 15% por su padre.

Otra encuesta, la *Evaluación de la Educación Primaria*, realizada por el Instituto Nacional de Calidad y Evaluación (INCE) del Ministerio de Educación en 1999, indica que el 57% de los más de 10.700 estudiantes de 6º de primaria (de 11 y 12 años) encuestados dedica entre una y tres horas diarias a los deberes, mientras que el 33% emplea una hora o menos. Siete de cada 10 niños aseguran que hacen los deberes sin ningún tipo de ayuda, mientras que el resto dice que normalmente alguien le echa una mano, sobre todo sus padres. Son muy pocos los que reciben el apoyo de un profesor particular (5%) o de sus hermanos.

El catedrático de Psicología de la Educación Álvaro Marchesi, uno de los impulsores de la Ley Orgánica de Ordenación General del Sistema Educativo (LOGSE), de 1990, apunta que «los padres están más concienciados de la importancia del conocimiento que antes, y viven con más angustia las notas y tienen miedo de que un nivel escaso de educación limite el progreso a sus hijos. Cerca del 90% de las familias quiere que vayan a la Universidad, aunque tengan en el futuro un sueldo por debajo de su cualificación, como les ocurre a menudo a los titulados universitarios». Marchesi añade que la preocupación de los padres debería centrarse en que a lo largo de la primaria el niño se dedicara a los estudios, y empezara así a adquirir pronto un cierto nivel. «Pero a muchos progenitores no les parece tan importante la primaria, y, cuando el niño llega a los 13 años, y empieza a ir mal en los estudios, es muy complicado reconducirle. Si llega a esa edad y va bien, también puede ocurrir que se rompa el hábito de estudio que haya adquirido, por influencia de las amistades o simplemente porque está entrando en la difícil etapa de la adolescencia. Es un periodo de ruptura y, si el niño ha ido siempre mal, es posible que a esa edad ya no siga estudiando.»

Este experto internacional en educación dice que los progenitores han de tener presente que hay dos vías importantes: «Una de ellas es leer con los hijos. Es una vía de comunicación, se debe leer con ellos y delante de ellos. Y la otra es cuidar que el niño a partir de los 8 años vaya aprendiendo a organizar su tiempo, sus estudios, a programar su trabajo él solo. Así llegará a secundaria sabiendo organizarse, sabiendo lo que es estudiar. Y le irá mejor».

En definitiva, a los niños, como a los mayores, hay que marcarles objetivos que sean claros y alcanzables. Si no, se desanimarán. Sería bueno que al final del recorrido hubiera un premio, en la forma que sea, que represente un reconocimiento de lo logrado. Pensemos en el mundo laboral. Todos queremos una gratificación por nuestros éxitos. Pero tampoco la podemos pedir todos los días, pues le restaría valor. Y a menudo nos conformamos con que ese premio sea sólo una palmadita en la espalda. Para el niño esa palmadita significa mucho más, porque se la da su padre o su madre, implica que se siente querido, comprendido y valorado. Esta recompensa le estimulará para seguir aprendiendo.

Capítulo IV

El castigo

«De todas las bestias salvajes, un muchacho es la más difícil de manejar.» Esta afirmación, que se atribuye a Platón, da idea de la importancia que siempre han tenido los problemas propios de la adolescencia. Este autor se inclinaba por un tipo de educación comprensiva. En *La República* aconseja: «No habrá pues, querido amigo, que emplear la fuerza para la educación de los niños; muy al contrario, deberá enseñárseles jugando, para llegar también a conocer mejor las inclinaciones naturales de cada uno».

Cuando un niño empieza a flaquear en los estudios, los padres deben plantearse un castigo siempre y cuando ese resultado se deba a una falta de esfuerzo, porque el castigo sólo sirve cuando se quiere que el niño sea consciente de que debe eliminar una determinada conducta. El correctivo ha de plantearse siempre como un proceso de aprendizaje. Formas posibles de castigar son tanto el no dar algo deseado, como el retirar un privilegio concedido o el obligarle a hacer algo que no le apetece. Pero el castigo debe ir de la mano de una comunicación entre los padres y los hijos que permita a estos últimos entender por qué se les reprende y cuál es la manera de evitar que eso vuelva a suceder. Cómo hacerlo, logrando además que el niño lo relacione en sucesivas ocasiones con la conducta inapropiada, es lo complicado.

De ninguna manera es aceptable el castigo físico. Lo único que provoca en el niño es miedo, que sólo servirá para que olvide el verdadero motivo por el que se le ha recriminado. Como decía el lema de la campaña contra el castigo físico *¡Educa, no pegues!*, promovida hace un par de años por las organizaciones internacionales Unicef y Save the Children y por las confederaciones españolas de padres Ceapa y Concapa: «Corregir no es pegar: una bofetada nunca es razonable». Estas organizaciones recordaban los derechos de los niños, como «el derecho al desarrollo armónico, a no sufrir violencia y a ser escuchados», y añadían que las bofetadas «nunca hacen bien al niño, son una forma de violencia y los acallan».

Relacionado con este asunto viene a cuento recordar un imperativo categórico formulado por Inmanuel Kant en los *Fundamentos de la metafísica de las costumbres:* «Obra de tal modo que la máxima de tu voluntad pueda valer siempre, al mismo tiempo, como principio de una legislación universal». Es decir, el motivo que aleguemos para justificar una acción debe ser tan bueno que pudiera convertirse en ley universal. Una idea que, aunque muchos expertos consideran discutible aplicada a ciertas cuestiones, puede servir para reflexionar.

España, como muchos otros países, ratificó además en 1990 la Convención sobre los Derechos del Niño de Naciones Unidas que prohíbe explícitamente cualquier acto violento contra la infancia. Este texto fue redactado en 1989 y en su artículo segundo recoge lo siguiente: «Los Estados Partes tomarán todas las medidas apropiadas para garantizar que el niño se vea protegido contra toda forma de discriminación o castigo por causa de la condición, las actividades, las opiniones expresadas o las creencias de sus padres, o sus tutores o de sus familiares».

En la campaña antes mencionada se detallan aspectos básicos en el desarrollo del niño (amor, estimulación, seguridad, atención, respeto, confianza y protección) y se proponen las siguientes alternativas al castigo físico:

—Establecer con el niño o niña límites claros, coherentes y consistentes, para que sepan qué pueden o no pueden hacer.

—Compartir su tiempo.

—Decidir las cosas de común acuerdo. Razonar las decisiones cuando no pueda ser así.

—Fomentar la autonomía del niño o niña.

—Respetar y tener en cuenta su opinión.

—Dedicar atención a aquello que hacen bien, no sólo a lo que está mal.

—Estar en disposición de decir «sí» antes que «no».

—Recordar que los niños y niñas deben asumir responsabilidades según su capacidad.

En la educación, prevenir es tan importante como en la sanidad. Si se crean unos hábitos en el niño desde pequeño, cuando sea mayor no hará falta casi nunca ni castigarle ni darle premios para que se comporte de determinada manera. Sólo es necesario propiciar en él buenas conductas desde que empieza a ir al colegio. Por ejemplo, dicen los psicólogos que si el padre conoce bien al niño y tiene buena comunicación con él puede adelantarse al castigo con la promesa de una recompensa. De esta forma, si el niño está distraído ese día, o tiene en general tendencia a dispersarse, es preferible motivarle antes de que se ponga a estudiar («si estudias, te llevo mañana al partido del Milan») en lugar de esperar a que se haga el remolón y se pase media hora vagueando para amenazarle con un castigo («si no estudias, no irás al partido de baloncesto»). De igual modo, un premio puede ser también algo sencillo, como cocinar su plato favorito o reconocer con orgullo el acierto de lo que haya hecho.

«Mi amigo suspende todo y le regalan muchas cosas; yo saco buenas notas en algunas cosas y sólo me pones pegas», dicen a veces los hijos. Esta frase, puesta como ejemplo por un padre, es, sin embargo, uno de los problemas más frecuentes con los que se encuentran los progenitores, especialmente a partir de la edad en la que los niños empiezan la educación secundaria (12 años). Un chico no puede estar suspendiendo permanentemente y recibiendo los mismos juguetes que si su rendimiento fuera bueno. Por eso, ante este tipo de situaciones, los padres deben mantenerse firmes y explicarle al hijo qué medidas van a tomar por sus malas calificaciones y por qué.

El catedrático de Sociología de la Universidad de Salamanca, Mariano Fernández Enguita expone así la situación: «Hay una serie de factores que militan en contra del esfuerzo en el estudio. Los alumnos deben aprender a trabajar y a experimentar el éxito y el fracaso en relación con su esfuerzo. Una enseñanza dominada por el facilismo tiene el peligro de generar una generación de gorrones. Las familias deben intervenir cuando el rendimiento baja mediante las medidas que consideren necesarias, sean castigos, sanciones o retiradas de privilegios, depende de cada situación».

Otro problema surge a partir del supuesto de que todo el mundo debe alcanzar idéntica meta con el mismo tratamiento, añade Fernández Enguita. «Si pasan los pies de la cama, te los cortan, y si no te llegan, te estiran. Es un poco demencial, porque cuando te sacas el carné de conducir o aprendes un idioma compruebas que te cuesta más o menos que a otras personas. Por eso hace falta más flexibilidad, los alumnos que van mal deben tener más tiempo de clase, al día y al año, y más concentrado en las materias centrales del currículo. Porque el principal recurso de la escuela es el tiempo, el del alumno y el del profesor.»

Entre los tipos de situaciones relacionadas con el rendimiento del alumno en el estudio susceptibles de ser castigadas están: los suspensos de asignaturas, el incumplimiento del tiempo para hacer los deberes fijado con los padres, la falta de aprovechamiento del tiempo de estudio en casa, el mal comportamiento en el colegio y la falta de esfuerzo en la clase.

Es recomendable que los padres tengan una política propia sobre el castigo y que mantengan una postura firme frente a los hijos basada en esa política. Para ello, han de meditar bien previamente cómo van a proceder, y luego no echarse atrás, por difícil que resulte. De lo contrario, no será efectivo. Cuando el niño llega a casa con malas notas o nos dice su tutora que está vagueando es mejor no dejar pasar el tiempo, tomar medidas de una manera más o menos rápida. A todos nos resulta doloroso castigar. Pero, si se hace la vista gorda con la esperanza de que el niño cambie solo, se está corriendo un serio riesgo. Porque, si no es así, y casi nunca lo es, cada vez irá peor y tendrá menos costumbre de estudiar.

Los castigos serán más útiles cuanto menos se usen. Su valor debe centrarse sobre todo en el efecto disuasorio que tienen. Cuando se adopte un castigo que suponga obligar al niño a hacer algo que no le gusta, hay que pensar mucho cómo llevarlo a cabo. Una posibilidad podría ser obligarle, por ejemplo, a que friegue los platos. Pero nunca hay que usar como castigo algo que, aunque no sea del agrado del niño, constituya una buena costumbre, por ejemplo, leer. Si le imponemos como castigo leer, lo empezará a asimilar con algo pesado y rechazable, y ello, evidentemente, acarrea consecuencias desastrosas.

¿Cuándo se debe castigar? Lo recomendable es que la primera vez que un niño se comporte de manera inapropiada, se le regañe seriamente y se le dé la oportunidad de que rectifique y de que aprenda del error sin castigarle. Esto da a los padres además la oportunidad de meditar sobre lo que está pasando, de analizar por qué y de establecer un plan para resolver la situación, pongamos por caso, para que el niño no vuelva a quedarse mirando las musarañas mientras estudia en casa o para que recupere las materias suspensas.

Con todo, hay que tener en cuenta que, cuando un niño hace algo que no está bien, no basta con decirle: «No vuelvas a distraerte tanto en clase». Al mismo tiempo, es conveniente explicarle el porqué y darle pistas sobre lo que debe hacer en su lugar, como: «No vuelvas a distraerte tanto en clase, por que tu profesora dice que cuando te pregunta se da cuenta de que no te has enterado de lo que ha contado. Así que ten siempre el bolígrafo en la mano y ve tomando notas de las cosas que vaya diciendo la profesora que te llamen más la atención».

Si la mala conducta se repite, es decir, si el niño incumple la promesa de rectificar, es cuando deben plantearse los padres la posibilidad del castigo. Y han de actuar de inmediato, justo después de que conozcan el hecho susceptible de ser castigado. Que ambos progenitores compartan la misma política sobre el castigo hará que sus decisiones sean coherentes y que su hijo entienda mucho mejor la causa por la que se censura su comportamiento. En esta política es importante que esté incluido el diálogo con el niño, pero siempre con un fin. Por lo general, poco conseguirán si se limitan exclusivamente a hablar con el niño, como hacen algunos padres, sin tomar nunca las medidas pertinentes para que no se repita. Se trata, por lo tanto, de que los padres pongan en común, con detalle, aquello que consideran razonable y lo que no, y de que decidan cómo reaccionar en cada tipo de situación.

Pero no hay que olvidar que si se recurre al castigo de forma rutinaria pierde su efecto corrector. Lo mismo pasa con las broncas a los niños. Si se está todo el día regañándoles, llega un momento en el que no les afecta. Y si el niño persiste en un mal rendimiento en los estudios a pesar de que hayamos intentado cambiar su conducta reiteradamente con castigos y premios, es el momento de pedir la ayuda de un especialista.

Para que los castigos sean eficaces deben además ser proporcionados, al igual que los premios. Hay que ponerlos en práctica según la envergadura de lo que se haya logrado o de lo que se haya retrocedido. No es conveniente acceder, por ejemplo, a comprarle una moto o un ordenador, o a pagarle un viaje a Nueva York sólo porque haya aprobado dos asignaturas en una evaluación. Aunque pueda parecer exagerado, muchos padres tienen comportamientos de este tipo, sin deternerse a pensar en su efecto. Otra cosa es que haya pasado un curso exitosamente o haya acabado la secundaria obligatoria, después de trabajar duro. Tampoco es lo mismo que el niño suspenda una asignatura si suele sacar sobresaliente que si suspende tres si suele suspender dos. La clave es premiar o castigar en relación con el esfuerzo.

Hay padres que no vacilan a la hora de imponer un escarmiento; otros tratan de evitarlo y optan por hablar a sus hijos. Éstos agotan a menudo el recurso del diálogo sin mucho resultado para finalmente castigarlos, ya cansados y desesperados. Y, por último, los hay que, ante un mismo comportamiento del hijo, a veces le castigan y otras veces no, dependiendo de su estado de ánimo.

En no pocas ocasiones, cuando uno de los progenitores determina aplicar un correctivo, el hijo recurre al otro para que intervenga y logre librarse de la sanción o al menos que no sea muy rígida. Según los expertos, estas situaciones se deben evitar dejando claro al niño desde pequeño que en lo que atañe a castigos o premios los padres están totalmente de acuerdo y han de intentar estar los dos delante cuando se le explica. Si no es posible o, aun así, el niño porfía, una alternativa es decirle claramente que el que le ha castigado es quien tiene que decidir si ceder o no y que en eso están de acuerdo ambos. De esta forma, se evitará que haya conflictos de autoridad, que uno de los progenitores juegue para el niño el papel del malo y el otro el del bueno y que los niños usen el chantaje o enfrenten a sus padres para conseguir sus objetivos. Esto es algo bastante común aunque no haya en ello mala intención por parte de los niños.

También resultan útiles estas ideas cuando se van a dar permisos a los hijos para, por ejemplo, salir con sus amigos o fijar la hora a la que han de volver a casa. Estas situaciones reflejan, una vez más, la necesidad de que los padres establezcan en común unas pautas claras de actuación.

Traslademos este tema al mundo laboral para comprender mejor su importancia. ¿Hay algo más desconcertante para un trabajador que tener un jefe que exige, manda o sanciona sin basarse en unos criterios definidos, que no explica mínimamente el porqué de sus decisiones, que no mantiene lo acordado con el empleado o que se deja llevar por el humor que tenga cada día al valorar la calidad del trabajo realizado? Pues lo mismo le pasa a un niño con respecto a sus padres. Con el agravante de que esas personas que le castigan o premian son las más importantes de su vida y las que más pueden influir en él.

En resumen, a la hora de fijar una política sobre los castigos se debe tener en cuenta la frecuencia con la que el niño se ha comportado de manera reprobable. No se puede imponer la misma sanción cuando es la segunda vez que cuando es la quinta. Hay que tener esto presente en el momento de determinar los tipos de castigos más adecuados. Además, cuando el niño incurra en una conducta no deseada, los padres deben analizar por qué se ha producido y, con independencia de la sanción, tomar medidas para intentar que no se repita. Por ejemplo, si el niño no ha querido sentarse a estudiar en toda la tarde y los padres no estaban en casa, llamarle cada día, durante un tiempo, a la hora de estudio acordada para demostrarle que están pendientes de su rendimiento.

El premio tiene, por lo general, un mayor efecto corrector que el castigo, salvo en situaciones de emergencia —a saber, aquellas en la que el hijo no manifiesta la voluntad de cambiar sus malos hábitos—. Tiene la ventaja de que propicia que el niño cumpla unos objetivos, como el de sacar mejores notas, pero si no hemos utilizado inicialmente este incentivo y el niño suspende más asignaturas, podemos intentar que reaccione prometiéndole un premio en lugar de castigándole, siempre y cuando lo que haya hecho no sea grave.

Conviene elegir el refuerzo positivo con que se le premiará cuando vuelva a tener una conducta adecuada. Es recomendable que no sea siempre material sino también social, como una alabanza, ya que se trata de que el niño perciba con ese premio que ha tomado el camino correcto, pero que no pierda de vista que estudiar es su obligación y que es su esfuerzo lo que se ha premiado.

Cuando se ha pactado con el niño una recompensa para estimularle a que logre un objetivo, se le debe dar lo antes posible o, si es algo que tiene que esperar (como unas vacaciones concretas) hay que aplaudir su éxito en el momento en el que ocurra. Como dicen los psicólogos, se trata de reforzar la conducta bien hecha.

Por otro lado, el premio ha de consistir en algo novedoso para el niño y que le guste mucho, como llevarle al cine si es que no se hace de forma habitual.

En conclusión, el castigo y el premio forman parte del proceso educativo y pueden ser positivos si se eligen y enfocan bien sus objetivos, tienen utilidad si van acompañados de pautas de mejora y ambos deben ser inmediatos y proporcionados. El castigo ocasional puede ser inocuo pero, como sistema, resulta inútil. Si la medida adecuada es la sanción, hay que tener siempre algo en cuenta: jamás debe suponer una descalificación del niño, él podrá pensar que le ha salido mal un examen o que no ha hecho lo que debía para aprobar, pero nunca que es malo. En cualquier caso, a modo de última pista, una frase que escribió Voltaire en *Histoire de Jenni:* «El ejemplo corrige mejor que las reprimendas».

Capítulo V

Exigencia y rendimiento

Friedrich W. Nietzsche decía que «el hombre se define como ser que evalúa, como ser que ama por excelencia». La evaluación es algo intrínseco al ser humano y su vínculo con el amor no es una coincidencia. Evaluamos a menudo a los demás, de forma consciente o inconsciente. Según nuestras percepciones de una persona, nos acaba gustando o no. Lo hacemos a la hora de elegir amigos y pareja y, por supuesto, en el trabajo, un entorno en el que el juicio es una constante. Desde el botones del hotel, que evalúa (y posiblemente identifica) al cliente casi desde que cruza la puerta giratoria de la entrada, hasta el directivo para el que la evaluación forma parte de su trabajo.

Los niños son objeto de evaluación permanente por parte del colegio, pero también de sus padres. Los expertos dicen que muchos progenitores viven todo este proceso en una lucha continua entre las expectativas que han puesto en sus hijos, la frustración o el miedo a sufrirla y la sombra de la separación de ellos. En el momento de juzgar los resultados escolares de sus hijos y de medir el grado de exigencia que deben tener se mezclan todos estos ingredientes y el resultado acaba siendo el desconcierto sobre si lo están haciendo bien o si están siendo demasiado rígidos.

Además, las formas de evaluación escolar y de enseñar los contenidos han cambiado mucho desde que ellos estudiaban, lo que incrementa su desorientación. Esto hace que en no pocas ocasiones se pregunten, entre otras cuestiones, si las notas con las que llegan a casa reflejan que su hijo está aprendiendo lo suficiente para su edad. Son muchos los que también se preguntan si se están pasando o no están llegando. La difícil solución a este dilema se puede, si no responder con exactitud, sí orientar con una premisa: el esfuerzo es lo que importa.

La exigencia

Séneca hace en las *Epístolas* una referencia al valor del esfuerzo y a lo mucho que se puede lograr siendo constante: «No existe cosa alguna que no pueda ser vencida por una labor asidua y por un cuidado diligente y atento». El periodista especializado en temas educativos Carlos Arroyo acerca este comentario a la realidad de los padres: «La idea es exigirle que tienda a mejor y ser flexible con el resultado final. Hay que exigir a los hijos un esfuerzo en el estudio, sin ningún tipo de complejo, y un determinado resultado según el esfuerzo que hayan realizado. Lo que siempre debes pedirles es que sigan una tendencia ascendente». Arroyo añade que en primer lugar «se deben fijar con los hijos unos objetivos, que deben ser realistas y en los que se deben tener en cuenta las capacidades y gustos del niño. Siempre hay unas materias que le gustan más que otras o que se le dan mejor que otras. También se debe ser exigente con el cumplimiento diario de la tarea. Tiene que trabajar las horas que necesita para alcanzar los objetivos acordados al principio con el niño y, posteriormente, definidos de forma responsable por él solo».

Dicen algunos expertos que el exceso de permisividad que se atribuye a menudo a los padres con sus hijos es en realidad desorientación, como apunta el ex rector de la Universidad Jaume I y padre de un niño de 16 años Francisco Michavila: «Los padres, en general, no son excesivamente permisivos aunque la desorientación que tienen en muchos aspectos de la educación de sus hijos se puede confundir con permisividad. Parece, a veces, como si algunas de las decisiones que toman los padres estuviesen mediatizadas por una mala conciencia debida a su poca dedicación. Ello lleva a que se pueda interpretar como permisividad una cierta falta de convicción sobre su función educadora».

Para Michavila, «la transición a unas nuevas normas que marquen el nuevo modelo de relaciones familiares, que a veces impulsa el mimetismo que a través de los medios de comunicación se estimula de la sociedad norteamericana, aumenta las dudas e inseguridad de los padres, haciendo que parezcan más permisivos cuando son simplemente más inseguros».

Este especialista agrega que «la percepción por parte de los hijos de que la autoridad de los padres ya no es un valor indiscutible e indiscutido, el sentimiento que día a día arraiga en todas las familias de las distintas clases sociales de que la libertad de tomar decisiones por su cuenta de los jóvenes es un derecho y no una concesión otorgada constituyen otros factores que fuerzan a los padres a la admisión de una mayor libertad en los hábitos de comportamiento de los hijos».

El director de la revista *Cuadernos de Pedagogía*, Jaume Carbonell, abre un interrogante en relación con la exigencia: «No hay pedagogía —desde la más tradicional hasta la más innovadora— que no exija un esfuerzo, de igual modo que lo requiere cualquier actividad humana. Pero la cuestión crucial, además de una obvia y razonable dosificación del esfuerzo en función de la edad y características del alumnado, es hacia dónde se encamina el esfuerzo. O, dicho en otras palabras, ¿exigencia para qué?».

«En el contexto de una escuela innovadora ese esfuerzo debe ir dirigido, sobre todo, a provocar la curiosidad intelectual del alumnado hacia el aprendizaje; a trabajar los contenidos cultural y socialmente relevantes que le ayuden a comprender el mundo en que vive; a desarrollar todos los aspectos de su personalidad —cognitivos, sensoriales, afectivos, sociales o éticos—; y a fomentar el hábito de la lectura, la herramienta básica que le ayudará a acceder y asimilar todo tipo de conocimiento. Por eso también las administraciones, los centros y los docentes han de esforzarse para que lo que se estudia tenga sentido y se adapte a las necesidades psicopedagógicas de cada alumna y alumno», añade Carbonell. Este experto concluye que en una educación impartida en unas mismas condiciones de calidad, conocimientos y objetivos para todos los alumnos «es tan importante el resultado final como el proceso de aprendizaje, así como tomar en consideración el punto de partida y evaluar continuamente los progresos y dificultades, ajustando en todo momento la ayuda o el refuerzo que se requiere para ir avanzando. Las experiencias educativas más innovadoras han mostrado sobradamente que el esfuerzo es compatible con la diversión; y que la exigencia lo es con la curiosidad y la motivación».

Para saber qué grado de exigencia se debe tener con un niño hay, por tanto, que conocer primero los resultados y luego el esfuerzo que está realizando para obtener esos resultados. Una constante en la opinión que los jóvenes les merecen a los adultos es la afirmación de que no ponen demasiado empeño en conseguir lo que se proponen.

Los adolescentes que están acostumbrados desde pequeños a lograr todo con sólo pedírselo a sus padres no conocen el valor del esfuerzo.

Según afirman algunos psicólogos, esto puede además redundar en su autoestima, puesto que al no haberse afanado tampoco han disfrutado del placer de lograr los objetivos marcados. Además, esos adolescentes suelen estar desmotivados ante el estudio y no entienden el significado del premio.

Esta situación provoca que, cuando llegan las notas, y no son buenas, algunos padres de adolescentes (o preadolescentes, que acaban de empezar la secundaria, una etapa con contenidos mucho más complejos que requiere más horas de estudio) se pregunten desconcertados qué ha pasado, ya que ellos han hecho lo que han podido. Y seguro que ha sido así, pero quizás no en el momento preciso. A final de curso, cuando los padres ven las orejas al lobo, es cuando tienden a exigir más a los niños, como si el espíritu de sacrificio fuera a nacerles de repente. El problema reside en que, aunque el niño logre superar el curso, las materias que no ha estudiado en meses evidentemente no las podrá aprender igual ni profundizar en ellas en unas pocas semanas.

Los adultos que han tenido unos padres exigentes, pero que, a la vez, les han compensado su esfuerzo con cariño y reconocimiento, están muy agradecidos a sus progenitores, aunque de niños les hubiera parecido que no tenían razón. La exigencia en el estudio hace que los niños se vean obligados a aprender y que, a pesar de que se les guíe, vayan apañándoselas solos.

A la hora de exigir a los niños lo que importa es la tendencia. Lo que se debe tener presente es que las notas no son relevantes en sí mismas. Su importancia radica en que nos permiten saber de dónde viene el niño y localizar progresos. A menudo los padres se agobian pensando qué va a ser de su hijo si se esfuerza poco o manifiesta escasas capacidades. Ahora bien, una vez que los padres comprueban que el niño es un mal estudiante y no responde a los estímulos, vivir en un ambiente de permanente agresividad no conduce a que rinda más. Cuando los padres dicen «es que lo he probado ya todo», como los castigos o las clases particulares, y los responsables del colegio o instituto no ven ninguna solución, entonces es el momento de recurrir a un especialista —generalmente un pedagogo o un psicólogo—, que puede detectar el problema concreto en cada caso y orientar a los padres sobre cómo solucionarlo. Algunas veces, aunque sea algo que muchos padres tardan en admitir, la única solución pasa por cambiar al niño a un colegio algo menos exigente, si la exigencia del centro en el que está es demasiado alta para lo que el niño está acostumbrado a rendir o si el entorno (los amigos) repercute negativamente en su rendimiento. No se trata de separarle de sus amigos, sino de intentar solucionar el problema antes de que sea demasiado tarde, antes de que, por ejemplo, tenga todas las papeletas para no conseguir el título de Graduado en Educación Secundaria Obligatoria.

La exigencia, como decía antes, se debe compensar con lo que los psicólogos llaman *refuerzos positivos*. Es bueno que los niños perciban las expectativas que los padres han puesto en ellos, pero también es fundamental que se les explique por qué se espera determinado rendimiento. Si un hijo está educado con una disciplina razonable y a la vez se le premia, se le da cariño y se valoran sus logros, es muy probable que ese niño consiga lo que se proponga y lo haga con confianza en sí mismo.

Cuando se habla de exigencia, otra cuestión destacable es la diferencia entre el papel del padre y el de la madre. Hay quienes defienden que el rol de la madre, más cercana al día a día de la educación de los hijos, es puramente social. Sin embargo, tiene también carácter biológico. Es un papel importante, muy unido a su propia esencia de madres y que muchas ejercen con verdadera puntualidad y dedicación. Hay también casos en los que esta cercanía conduce a prescindir del padre en la educación de los hijos, debido al exceso de protección de la madre.

En cuanto al padre, es muy común que no se implique tanto en el proceso educativo de sus hijos e intervenga sólo en momentos cruciales, sobre todo cuando se trata de tomar decisiones como la carrera que van a estudiar. La madre a menudo realiza sola la tarea diaria de educar a sus hijos.

En los últimos años, el papel del padre en este sentido ha empezado a cambiar, pero no tanto como algunos pueden pensar. No han evolucionado con la misma rapidez con la que ha cambiado, sobre todo en las parejas jóvenes, la distribución de los quehaceres domésticos, como limpiar, hacer la compra o cocinar. De hecho, a pesar de la masiva incorporación de la mujer al mundo laboral lograda a lo largo de las últimas décadas, las madres siguen siendo de forma mayoritaria las que van a las reuniones de las asociaciones de padres, las que llaman a un profesor si quieren consultarle algo o las que esperan a sus hijos en la puerta de los colegios al acabar las clases.

Cuando el padre ejerce un papel subsidiario con respecto al de la madre en la educación de los hijos es un drama para éstos. Entonces se crea a menudo una dinámica en la que la madre amenaza con las medidas que adoptará el padre si el niño no se comporta de determinada manera, como recurso para que le haga caso. Pero esto únicamente consigue que esos niños acaben teniendo una imagen distorsionada de su padre.

Todavía hoy, quien decide a qué colegio irán los hijos y quien llama o visita esos colegios sigue siendo mayormente la madre. Las mujeres han dado pasos muy importantes pero no se han desligado de esa responsabilidad directa sobre los temas educativos, que no reparten de forma equitativa con los hombres. En esto influyen otros dos factores: el nivel cultural medio de las mujeres españolas permanece por debajo del de los hombres, y las mujeres que trabajan no disponen de más tiempo libre para dedicar al seguimiento de la educación de los hijos que los padres que trabajan.

Las estadísticas reflejan cambios sociales importantes en los últimos años que se podrían resumir en: el número de mujeres trabajadoras, por una parte, y el nivel cultural de las mujeres españolas, por otra. Hace 25 años, en 1978, sólo había en España 3,4 millones de mujeres que trabajaban fuera de casa; en 2002, no llegaban al doble: 6,2, según datos de la Encuesta de Población Activa, realizada por el Instituto Nacional de Estadística. El número de hombres con empleo era de 8,8 millones en 1978, y de 10 en 2002. Además, el barómetro del Centro de Investigaciones Sociológicas (CIS) concluía recientemente que el 58% de los españoles cree que aún hay desigualdad entre hombres y mujeres en el trabajo, si bien constataba que la discriminación se va reduciendo.

El rendimiento de los estudiantes está relacionado con el nivel educativo de la familia en todos los países más desarrollados del mundo: los alumnos alcanzan mejores resultados a medida que se incrementa el nivel de estudios cursados por los padres. Así lo refleja el informe *Pisa* de la Organización para la Cooperación y el Desarrollo Económico (OCDE), realizado entre jóvenes de 15 años de 32 países. España es uno de los seis Estados de la OCDE en que la influencia de la educación de los padres sobre las evaluaciones escolares es menor, algo que puede tener una relación directa con las políticas de igualdad educativa puestas en marcha durante los últimos 15 años. Las madres del 62% de los encuestados de los distintos países únicamente han terminado los estudios equivalentes a la educación primaria y a la secundaria obligatoria. Este porcentaje sólo es superado por México y Portugal.

Sobre si los padres deberían exigir más a sus hijos en los estudios de lo que lo hacen en la actualidad, la mayoría de los expertos y gran parte de los padres aseguran que sí. Francisco Michavila es uno de ellos: «Se les debería exigir por diversos motivos, pero en especial por los dos siguientes: para que aprovechen mejor las oportunidades que el mundo actual da a los niños y a los jóvenes en su formación y para que se preparen con mayores posibilidades de éxito ante las exigencias laborales que les aguardan en el futuro. Además, los padres tienen la obligación moral, además de afectiva, de orientar y abrir los ojos a sus hijos en cuanto a las enormes posibilidades educativas que las nuevas tecnologías ponen a su alcance. También deben dedicar tiempo al convencimiento de los jóvenes y adolescentes sobre el extremo valor que tiene el buen aprovechamiento del periodo escolar para que puedan posteriormente superar los riesgos de un mundo laboral de incertidumbre creciente».

En opinión de este padre, que es compartida por muchos otros, «a las notas se les da demasiada importancia. Las calificaciones son necesarias para medir el avance escolar de los niños, los jóvenes y los adolescentes, pero no se pueden confundir prioridades. Las calificaciones son un medio, no son un fin, nunca las notas deben marcar las prioridades educativas».

Este catedrático también considera que la exigencia debe enfocarse a la dedicación al estudio y no tanto a la obtención de notas más altas, aunque una cosa suele llevar a la otra. Éstas son sus explicaciones: «En los últimos años, el ajuste de oferta-demanda de plazas universitarias en determinadas áreas de la tecnología o las ciencias de la salud ha dado lugar a un utilitarismo perverso en este asunto. Pocos, casi nadie, rechazan dicha escala de valores. Lo importante, dicen, es que al final del bachillerato se pueda tener la nota para acceder a los estudios deseados. Pocos, casi nadie, valoran los conocimientos más que las notas. Y éste es un círculo vicioso que si no se rompe mal nos irá».

Michavila, que ha sido secretario general del Consejo de Universidades, añade que «es importante que los jóvenes que lo deseen puedan estudiar en una prestigiosa escuela de ingenieros; pero mucho más importante es que en esos años decisivos del bachillerato y de la educación secundaria aprendan las claves de la vida, como la filosofía y la literatura, el amor por la lectura y la inquietud científica. ¡Cuánta razón tenía Max Aub en aquello que decía que uno es de donde estudia el bachillerato! Entendido dicho pensamiento en su sentido temporal y espacial».

En opinión de la especialista en psicología clínica y escolar de la Universidad de Granada, Trinidad Aparicio, hay una serie de pautas que pueden ayudar a los padres a empezar a educar a los hijos en el esfuerzo:

—Hacerles ver la cara positiva del esfuerzo, presentarlo como algo valioso y necesario que les va a ayudar a alcanzar los objetivos y metas propuestos.

—Provocar ocasiones en las que los hijos se tengan que esforzar; por ejemplo, levantarse temprano, comer algo que no les agrada mucho, realizar alguna tarea de casa que les resulta algo molesta, etcétera.

—Explicarles que las cosas que se empiezan hay que terminarlas y que no se deben hacer chapuzas. Al principio habrá que ayudarles a ser realistas antes de comenzar algo y enseñarles a prever las consecuencias de sus actos y decisiones.

—La disciplina y el esfuerzo van unidos. Es aconsejable tener un horario, cumplir unas normas en casa, procurar que estén ocupados la mayor parte del tiempo, realizar algún tipo de deporte, implicarlos en el cuidado de los hermanos pequeños, etcétera.

—Los padres son los que mejor pueden guiar a los hijos a la hora de vencer las impaciencias, superar el aburrimiento, la indecisión, los impulsos y los cambios de humor. Los niños al principio no saben ponerle nombre a lo que les ocurre y por ello los padres deben ayudarles no sólo a descubrirlo, sino también a encontrar la forma de superarse y de vencerse a sí mismos.

Las notas

En un anuncio de la televisión del refresco Fanta, una marca que suele dirigir sus productos a los jóvenes (su última campaña se llama *Generation next*), aparecen dos chicos y una chica sentados a las puertas de un instituto de secundaria, a los que Fanta pregunta su mayor deseo. Uno de los chicos formula algo previsible: que las chicas del instituto vayan en bikini. Pero también les gustaría (en concreto, a la chica) que fueran los estudiantes quienes decidieran las notas. Es más que probable que los responsables de la marca Fanta, tras darle vueltas a cuáles son los deseos de los jóvenes, concluyeran que uno de los principales está relacionado con las calificaciones. Es más, seguro que muchos adultos habríamos pedido lo mismo en nuestra época de estudiantes.

A menudo se oyen quejas de padres, que comparten algunos expertos, sobre la excesiva importancia que se les concede a las notas. Pero la realidad es que, aunque no constituye la única forma de evaluación posible, sí es un sistema que permite objetivar los resultados de los alumnos de una manera poco compleja; además, es positivo que los alumnos se acostumbren a este tipo de evaluaciones desde que están en el colegio porque después las notas seguirán siempre presentes: en la Universidad, a la hora de hacer una oposición, en el mundo laboral... La evaluación es una constante a lo largo de la vida y para eso también se debe preparar a los niños.

Francisco Michavila, defensor de la pedagogía de la Institución Libre de Enseñanza, dice que con el transcurso de los años «el sentido práctico ha impregnado todas las facetas de la vida, pero una cosa es el valor objetivo que representan unas calificaciones y otra, mucho más importante, es la educación y el aprendizaje centrados en la evolución de cada niño y la maduración de los conocimientos adquiridos».

En su opinión, en lugar de tantísimos controles y exámenes con los que se bombardea a padres e hijos en cada curso académico «sería mejor un sistema centrado en evaluaciones globales, interesadas en el avance del aprendizaje y madurez de la formación adquirida». Michavila dice que «es repulsivo, regresivo y mezquino pensar que se soluciona algo haciendo que los alumnos repitan en secundaria obligatoriamente si tienen más de dos asignaturas suspendidas, sea cual sea su caso particular, que es uno de los aspectos más destacados de la reforma del sistema educativo de la Ley de Calidad. Ése no es el problema de nuestro sistema educativo. Sí que lo es, por el contrario, su deficiente financiación y elevada tasa de fracaso escolar».

Aparte de los exámenes, hay otras formas de medir el rendimiento de los alumnos, como la evaluación continua, pero son mucho más complejas de aplicar y es más difícil medir los resultados con ellas. Esto no quiere decir que no sea un buen sistema; antes bien, resulta excelente. Hay colegios que la hacen, y algunos, con magníficos resultados. Pero el problema es que buena parte de los profesores no están habituados a realizarla porque, por un lado, no es algo nada sencillo y, por otro, nadie les ha enseñado a hacerlo —algo que, sin duda, sería necesario solucionar—.

Evaluar de forma permanente a los alumnos requiere conocer una serie de técnicas, mucho entrenamiento y una gran capacidad de observación.

Es frecuente que a los niños les guste jugar a ser profesores porque les resulta una actividad cotidiana, que forma parte de sus vidas. Pero lo que les gusta, por encima de todo, es jugar a poner notas. Un juego que también practican los adultos. Poner notas, es decir, puntuar, por ejemplo, a los empleados de una empresa (periódicamente, tras un aprendizaje o después de una labor determinada) es una forma de hacer que el trabajo cobre importancia tanto para el que lo ha realizado como para el que lo ha planeado, el que lo ha enseñado a hacer, y, cómo no, para la empresa, a la que las evaluaciones le permiten saber cómo están yendo las cosas. Lo que ocurre, en definitiva, es que las calificaciones sirven de nexo entre la adquisición de conocimientos y lo que la sociedad espera como fruto de ese aprendizaje. La enseñanza no deja de ser una inversión: económica, laboral o personal, bien sea del Estado, de los profesores o de los padres.

De vuelta al mundo escolar, la evaluación es uno de los temas que más libros dirigidos a los profesores ocupa. Y no se trata sólo de la evaluación de los niños. También son importantes la de los profesores y la de los centros. Hay quienes consideran que, para saber cómo enseña un colegio, hay que fijarse en cómo realiza la evaluación de los alumnos. Es posible. En cualquier caso, lo que se pretende con la evaluación de los alumnos es medir el nivel de aprendizaje alcanzado por ellos, básicamente con dos fines: asegurarse de que ese nivel es el que corresponde a su edad y poder tomar medidas para corregir el aprendizaje con el fin de que el niño mejore, en el caso de que los resultados no sean los deseables.

Jaume Carbonell destaca que «es evidente que hay cosas que hay simplemente que memorizar pero, además, hay que entenderlas». Por eso, añade, «la evaluación debería medir la adquisición del conocimiento más sustantivo y relevante —pues con frecuencia se miden muchos conocimientos totalmente secundarios, irrelevantes y prescindibles— así como la evolución específica de cada alumno, subrayando los avances realizados y las dificultades que persisten, tanto en lo relativo a la adquisición de conceptos, estrategias y procedimientos como a los hábitos y actitudes». Y acaba recordando un aspecto primordial: el papel del tutor. «La importancia de la tutoría es fundamental para el conocimiento y seguimiento de cada alumno y para poder orientarle en su desarrollo académico, personal y profesional. Es también un punto de encuentro, intercambio y colaboración con la familia que hay que reforzar mediante entrevistas, informes y otro tipo de comunicaciones presenciales y virtuales.»

Emitir un juicio no es algo negativo, si se hace con buen criterio y buenos propósitos, pero en el caso de la evaluación escolar, para hacer que sea lo más objetivo posible, hay que sustentarlo en algún tipo de baremo, sea mediante puntuaciones de 1 a

10, de 1 a 5 o de estimaciones como «progresa adecuadamente». Otro elemento sobre el que debe pivotar ese juicio es la comprobación de que se han alcanzado los objetivos de aprendizaje que se habían marcado, por ejemplo, que los niños hayan aprendido a hacer una regla de tres, pero que también sepan razonar por qué se hace así.

En el caso de los resultados escolares, se considera que la evaluación es el proceso global en el que además de las calificaciones se contemplan otros aspectos, bien de tipo académico, como el progreso del niño en relación con sus conocimientos anteriores, bien relacionados con las actitudes y el aprendizaje de valores, como la participación del niño en las actividades de grupo, su comportamiento con sus compañeros y su predisposición a aprender.

Nuevamente, trasladar el tema al ámbito laboral nos puede ayudar a entender cómo ha de ser una buena evaluación. ¿Quién progresará más en una empresa, el trabajador al que su jefe no comenta los errores que comete o el que tiene un jefe que se preocupa de decirle dónde está lo que no hace bien o lo que no le gusta de su trabajo? A veces, el jefe en cuestión está tan saturado de trabajo que no tiene tiempo para esto, incluso puede que ni siquiera para pararse a pensar las cosas concretas donde falla su empleado. Seguro que lo intuye, pero con lo que se queda, y lo que tendrá repercusiones sobre el futuro laboral del trabajador, es con que el resultado de su trabajo no es satisfactorio. Pues lo mismo les pasa a muchos profesores. Saben que un niño no va bien pero a veces no dan abasto.

Comunicar y explicar los resultados de la evaluación —a los padres y también al niño cuando alcanza una cierta edad— es muy importante para que un alumno progrese. Si el profesor no transmite debidamente sus impresiones, la evaluación sólo servirá para informar, pero no para saber cómo prosperar o por qué el niño ha mejorado o empeorado. A esto hay que añadir que la comunicación tiene también algo de arte. No es sencillo explicar bien estas cuestiones, sobre todo cuando se trata de noticias negativas, y hay personas que muestran más facilidad —o capacidad para la observación y el análisis— para hacerlo que otras. Por esta razón, sería deseable que se hiciera más hincapié en la formación del profesorado dirigida a detectar dónde está la clave de un mal rendimiento y ayudarles a fomentar la capacidad de observación y análisis.

En lo que atañe a las notas, muchos profesionales de la educación hacen hincapié en que los padres no han de perder la perspectiva de que simplemente constituyen una guía para estar al tanto de los progresos del niño, no un juicio de los mismos. La relatividad de las calificaciones es evidente. Influyen en ellas la exigencia o la forma de evaluar del profesor. Sin embargo, a pesar de que unos mismos resultados podrían ser valorados de manera distinta por un docente u otro, la variación en la mayoría de los casos no sería significativa, ya que la nota se decide en función de unos objetivos comunes; en cualquier caso, la disparidad no responde a la negligencia del corrector. Y lo que tanto el alumno como el padre deben tener presente (algo importante para que las notas no afecten a la autoestima del niño) es que no se está juzgando al estudiante, sino su trabajo.

La evaluación no es tarea fácil ni siquiera para los profesionales. Imagínense la siguiente situación: un grupo de profesores de un colegio se reúnen poco antes de acabar el año escolar para evaluar a un curso determinado. Están el tutor, el profesor de cada asignatura y el jefe de estudios. El objetivo de la reunión es poner en común las notas de cada alumno para hacer una evaluación global. ¿Creen ustedes que, además de la nota que haya obtenido este alumno en cada examen, habría que considerar otros condicionantes, como su evolución positiva o negativa, su actitud ante el aprendizaje, su capacidad de estudio en equipo y su comportamiento en clase? ¿Hasta qué punto deberían influir estos factores en su nota? ¿Únicamente se contemplarán en los casos en que el alumno se encuentre en el límite entre el aprobado y el suspenso?

La realidad es que la evaluación (no sólo la que se hace en los colegios) se basa en conocimientos o progresos palpables, por así decirlo, pero también en actitudes que a menudo son difíciles de calificar. En la escuela, al final lo que prima es lo que ese niño haya aprendido durante el curso y si ha alcanzado los niveles mínimos de conocimientos que se esperarían de él a esa edad.

De aquí la importancia de la evaluación continua y, como parte de ella, de lo que se podría llamar la observación continua.

En este último aspecto pueden participar los padres e influir con sus conclusiones en el criterio del tutor del niño. Puede que determinadas actitudes que podamos ver en el niño cuando estudia en casa revelen un cambio en el niño que a su profesor le haya podido pasar desapercibido —no hay que olvidar que tiene que estar pendiente de muchas caras a la vez—. En consecuencia, la colaboración estrecha entre los docentes y los padres es una pieza fundamental en el proceso educativo del niño.

«Postura corporal, especialmente la que denota estado de ánimo.» «Disposición anímica respecto a alguien o algo.» Éstas son las dos acepciones de la palabra *actitud* recogidas en el *Diccionario del español actual*, de Manuel Seco. A la vista de estas definiciones, es lógico deducir que el comportamiento del niño influye sin duda en su evaluación. Nos pasaría a todos si nos dedicáramos a la difícil tarea de la enseñanza. De hecho, en el mundo laboral, aunque los resultados conseguidos por un trabajador sea lo que más cuenta a la hora de promocionarle (pongamos que en un 60%) también influye mucho su actitud (digamos que un 40% en muchos casos). En los colegios sucede algo parecido, si bien es verdad que el resultado representa un porcentaje mayor en la evaluación que en el mundo laboral. La actitud no será suficiente para que el niño pase del aprobado al sobresaliente, pero si tiene un notable alto rozando el sobresaliente, sin duda el profesor tenderá más a subirle la nota siempre que haya demostrado una buena disposición a lo largo del curso.

Un buen ejemplo de los criterios por los que se rige un profesor a la hora de calificar es la lista de principios que tienen en cuenta los expertos en evaluación de profesores y de centros cuando les someten a ellas. Una de estas especialistas, la profesora de Psicología Evolutiva y de la Educación en la Universidad Autónoma de Madrid Elena Martín, analiza estas claves desde la concepción constructivista de la enseñanza y el aprendizaje («basada en que el papel del profesor consiste en prestar una ayuda al alumno ajustada a sus características y al contenido concreto que se esté trabajando») en el libro *Evaluación de la educación secundaria. Fotografía de una etapa polémica*, realizado por esta profesora y el catedrático Álvaro Marchesi. Elena Martín menciona estos 10 principios:

—Planificar de forma sistemática las actividades del aula de acuerdo con los objetivos deseados.

—Incluir dentro de las intenciones educativas todos los aspectos de desarrollo del alumno.

—Partir de los conocimientos previos del alumno.

—Provocar la participación activa del alumno que le permita reconstruir sus esquemas de conocimiento.

—Ir otorgando progresivamente mayor responsabilidad al alumno en la tarea en el aula.

—Provocar la interacción entre los alumnos como mecanismo de aprendizaje.

—Ajustar la ayuda durante el proceso de enseñanza y aprendizaje a la dinámica que vaya produciéndose y a las características peculiares de cada alumno.

—Tener en cuenta los aspectos emocionales y psicosociales que permiten atribuir sentido al aprendizaje.

—Llevar a cabo una evaluación que permita al profesor y a los alumnos comprobar el grado de aprendizaje adquirido, entender las razones que lo explican y autorregular el paso siguiente.

—Evaluar la propia práctica docente para reajustar la enseñanza.

Echar un vistazo a algunos programas que elaboran las empresas de informática y algunos expertos para ayudar a los centros educativos a organizar aspectos como la evaluación (y que se pueden encontrar en Internet de forma gratuita) puede servir a los padres curiosos para hacerse una idea general sobre la estructura de las evaluaciones. Las empresas de informática han creado *software* para ayudar a los colegios a llevar un control sobre múltiples actividades y también circulan libremente por la Red. Una de esas tareas es la evaluación. Está, por ejemplo, el *GradeSheet*, que permite que los profesores calculen y registren las notas de los estudiantes; el *GradeStar*, que califica, calcula y almacena los datos por cursos escolares, además de crear informes; y el *GradeGetter*, un sencillo programa que calcula el porcentaje de puntuación de cada curso escolar y permite asimismo modificar los valores para adaptarlos a situaciones particulares. Por último, el denominado *Tutoría* es un programa pensado para registrar la asistencia de los alumnos, almacenar las fotografías de cada estudiante con anotaciones sobre cada uno, llevar el control de las faltas e incluso elaborar informes semanales individualizados para enviar a los padres, clasificados por fechas.

Capítulo VI

La generación tecnológica

«El martes pasado llegué a un hotel de Madrid. Me dieron las llaves de la habitación y al entrar en ella me quedé estupefacto: encima de la mesa había un moderno ordenador conectado a Internet con una *webcam*. Pensé: ¡Pero si hasta podría asistir a la reunión de mañana por videoconferencia desde esta habitación! Me sentí muy, pero que muy mayor. En ese momento me di cuenta de los cambios que todavía están por llegar a nuestra vida cotidiana.» Esta anécdota, protagonizada por un padre habituado como tantos a usar el ordenador en su empresa, refleja que aquello que muchos adultos piensan que ocurrirá en el futuro ha llegado al presente a la velocidad del rayo. No acaban de asumirlo. En cambio, sus hijos lo ven clarísimo. No conocen otro mundo.

Llevan inmersos en las nuevas tecnologías desde que nacieron. Sus padres crecieron con sólo dos canales de televisión, y en blanco y negro. De aquel mundo sin colores queda algún recuerdo en los españoles treintañeros. Pero por debajo de esta edad pocos se lo imaginan. Cuando se les cuenta cómo era vivir sin televisión o sin Internet, los jóvenes y los niños piensan que debió de ocurrir hace mucho tiempo. Y, si no se imaginan la vida sin televisión en color, mucho menos sin electrodomésticos. No entienden cómo es que antes las lavadoras no reconocían los tipos de ropa y las neveras no se adaptaban a las necesidades de refrigeración de los alimentos, y consideran además muy normales algunos productos nuevos que son casi mágicos para los mayores, como esas toallitas que se meten en la lavadora y chupan los colores de la ropa que destiñe. Pero es que el uso del frigorífico eléctrico se empezó a popularizar a partir de 1930, la televisión en color desde 1953, las lavadoras automáticas con centrifugado hacia 1960 y el ordenador personal en torno a 1980. Ni en la peor de sus pesadillas sueñan los jóvenes actuales con el mundo anterior a los años setenta del siglo pasado.

La mayor diferencia generacional en los países más desarrollados (en los otros merece la pena tratar este tema aparte) es probable que sea *culpa* de los avances tecnológicos. Los niños y los jóvenes tienen mucha más destreza y familiaridad con las nuevas tecnologías (los ordenadores, los teléfonos móviles o los videojuegos) que las generaciones anteriores. Esto provoca que la conexión psicológica entre estas máquinas y el cerebro sean muy fluidas en los jóvenes de ahora y no tanto en los adultos. Esos niños conciben la tecnología como la extensión de su propio cerebro, de sus propios sentidos. Los adultos se sorprenden de que se pasen horas delante del ordenador y suelen decirles: «Pero vete a jugar». No comprenden que para un chico estar delante de un ordenador es una nueva forma de entretenimiento.

Esto se nota claramente al ver a un niño concentrado en un videojuego, bien sea del ordenador o de la consola. Es asombrosa la rapidez y la habilidad con que maneja las nuevas tecnologías. Para entenderlo, basta con comparar el control de los ordenadores que tienen los niños con el control de los coches que tienen los adultos. Cuando se conduce, el cuerpo hace los movimientos de forma automática. El conductor no es consciente de ellos, ni siquiera se da cuenta de que cambia de marchas, frena, pone el intermitente... Son acciones automáticas. El cuerpo obedece al cerebro sin que la persona sea consciente de lo que está haciendo. Esto mismo les pasa a los jóvenes con las nuevas tecnologías. Han desarrollado desde pequeños unas destrezas que a la mayoría de los adultos nos cuesta un gran esfuerzo aprender.

Igual que un conductor no sería capaz de recordar cuántas veces ha cambiado de marcha porque lo hace inconscientemente, también experimenta la sensación de que el coche es parte de él. Si se roza un parachoques, da un brinco. Es como si le hubieran lastimado en un brazo. Con los niños y adolescentes sucede algo similar: perciben que el ordenador y ellos son casi la misma cosa.

Es como si el teclado y el ratón fueran una extensión de sus dedos.

La pantalla es además su ventana al mundo. Una ventana inmediata que les asoma a las casas de sus amigos del colegio o a los *chats* con otros jóvenes a los que no conocen. No es raro que un chico de 12 años comente en casa: «¡Qué bien me lo he pasado, llevo media hora *chateando* con un amigo!». En cambio, un adulto relaciona el pasárselo bien con salir, sea a dar una vuelta, a tomar algo o al cine. «Déjame cinco minutos más mamá, que estoy *chateando* y está muy interesante», te pueden decir en un momento dado. Para ellos la tecnología es transparente, no encuentran ningún tipo de obstáculos: ni para acceder a ella, ni en su manejo, ni para programar lo que les interesa.

Es curioso ver a un niño de 10 años hablando con sus familiares de Estados Unidos por la *webcam* y compararlo con su padre en idéntica situación. El hijo actúa de una manera natural, le resulta algo completamente normal, mientras que al adulto se le nota forzado, vocaliza más de la cuenta, no se separa del objetivo de la cámara, apenas gesticula y, sobre todo, se enrolla muchísimo. Porque otro aspecto clave de la comunicación virtual es la rapidez. Cuando los chavales *chatean* utilizan siempre frases cortas y las envían enseguida. En ese universo no existen las oraciones coordinadas o subordinadas. No esperan a acabar lo que quieren decir para enviarlo a su interlocutor. Además, mientras están escribiendo, el amigo que se halla al otro lado de la pantalla ya está redactando otra frase. No espera a recibir la respuesta. Se trata de una conversación con un ritmo distinto. Un ejemplo sería:

Chico A.

—Vas a ir al cine?

—Porque yo no sé si puedo.

—Lo has visto entero?

—Pues no vamos, pero se va a enfadar Luis.

—El final ha sido lo mejor.

—Vale.

—Entro ya.

Chico B.

—Creo que sí.

—Ha estado bien el partido.

—Entonces yo tampoco voy.

—Entero no.

—Me da igual. *Chateamos* con Lara?

—Primero voy a merendar.

—Me esperas?

—Vale.

El ex rector de la Universidad Complutense de Madrid, Rafael Puyol, describe muy acertadamente este fenómeno en un artículo titulado *Jóvenes y nuevas tecnologías en la globalidad*. «El nuevo escenario de la globalización tiene implicaciones sociales y culturales que conviene tener en cuenta a la hora de hacer planes y elaborar políticas. Bill Gates ha bautizado a la actual generación de estudiantes como *Generación "I"*. La "I" de Internet, pero también de información, venga ésta a través del computador, la televisión o cualquier otro medio digital. Esa "I" dividirá al mundo del próximo siglo. Los que tengan acceso a la información y, sobre todo, sepan utilizarla, tendrán hecha parte del camino, porque la sociedad de la información hará que el aprendizaje sea un proceso para toda la vida. En Estados Unidos ya se empieza a especular con la idea de establecer fecha de caducidad en los títulos universitarios, que deberían ser revalidados al cabo de unos años pasando otra vez por la universidad. Los ciudadanos entrarían y saldrían del sistema educativo varias veces a lo largo de su vida profesional. Por lo tanto, uno de los cambios a corto plazo sería la inevitable flexibilización de los sistemas educativos para adaptarse a esas salidas y a esas entradas.»

El director general del Instituto Universitario de Posgrado y especialista en educación por Internet, Carlos Arroyo, expone otro aspecto: «Los jóvenes han conectado bien con las nuevas tecnologías porque son interactivas. Para las generaciones anteriores, la televisión era ya alucinante, pero es un medio pasivo, y la radio, que, aunque es dinámica, no es comparable en interactividad con las nuevas tecnologías. Por eso han enganchado tanto con los chicos. Porque una interactividad, para que sea intensa, tiene que ser imperfecta. No se puede usarla pretendiendo mandar sólo frases y pensamientos perfectos. La idea es mandar las cosas rápidamente, de una forma dinámica».

Es una comunicación que rompe las barreras del tú a tú. Es multilateral. Pueden *chatear* siete personas a la vez. Por lo tanto, se ha desintegrado completamente el esqueleto de los sistemas de comunicación que nosotros hemos conocido y seguro que tendrá repercusiones en el futuro de orden psicológico, intelectual y sociológico. Es la desaparición de las distancias, tanto temporales como personales: podemos mandar un correo electrónico que la otra persona no lee hasta unos días después.

Carlos Arroyo, padre de un niño de 13 años, dice que no ve a su hijo como un chico alienado delante de una máquina: «Nuestra realidad era la calle o la bicicleta y la suya es la misma, a la que ha integrado la tecnología. Un ejemplo son los teléfonos móviles. Los chavales se dan a diario *toques* por el móvil que consisten en llamar y colgar. Me pregunto qué semántica tendrá el *toque*. Pues puede ser un simple "hola" o para que la otra persona sepa que está pensando en él. Para nosotros puede ser una tontería pero para ellos tiene un valor que le den un *toque*».

Esta nueva situación cuenta con una ventaja añadida, y es que los jóvenes son capaces de hablar por teléfono sin ningún pudor o localizar y comunicarse con instituciones o personas estén donde estén, algo que a otras generaciones les cuesta muchísimo. Entre los inconvenientes se podría mencionar el escaso cuidado por escribir correctamente. Esto podría ser admisible cuando se establece una comunicación mediante el ordenador, por ejemplo, que es equivalente a un contexto coloquial, pero no cuando se redacta un documento o un trabajo. No está claro que las nuevas generaciones hagan distinciones en este sentido, e intentar convencerles de que ese lenguaje abreviado empobrece su vocabulario sería peor que luchar contra los molinos. Si existe o no este cambio de registro en ellos se comprobará sin duda dentro de unos años.

La clave de todo lo que está ocurriendo de pronto a nuestro alrededor, añade Rafael Puyol, es la abundancia de información: «Una edición diaria del *New York Times* contiene más información de la que tendría un ciudadano medio del siglo XVII durante toda su vida. En los últimos cinco años se ha generado más información que en los 5.000 anteriores, y esta información se duplica cada cinco años, según estimaciones ampliamente difundidas, si bien no necesariamente exactas. Pero cuanto mayor es el volumen de los datos, más necesitados estamos de convertirlos en conocimiento, que es la información sistematizada, jerarquizada y metabolizada para que pueda rendir utilidad. La información es la materia prima; el conocimiento es el producto».

La conclusión a la que llega este experto en el ámbito universitario es aplicable a todo el sistema educativo. Dice que la situación descrita debe llevar a «construir otro modo de educar». «Ya no se trata de enseñar lo que en poco tiempo será información obsoleta, sino de enseñar a aprender. Los procesos en los que estamos inmersos y la rapidez con que cambian los escenarios requieren personalidades adaptativas, versátiles, y no sólo competencia técnica para situaciones que tal vez ya no se vuelvan a dar. Estamos aún lejos de convertir la información en conocimiento y mucho menos en sabiduría basada en valores éticos.»

La atracción que este nuevo tipo de lenguaje ejerce en los jóvenes se manifiesta por ejemplo al comprobar los resultados del estudio *Jóvenes y videojuegos: significación y conflictos*, publicado por el Instituto de la Juventud español, en el que se analiza el uso de los videojuegos entre los adolescentes. Para elaborar las estadísticas se escogieron a 3.000 adolescentes de 14 a 18 años. Una de las preguntas que se les formularon fue si habían tenido problemas con su entorno a causa de su afición a los videojuegos: al 20% en alguna ocasión le había llevado a discutir con sus padres, al 21% a no hacer las tareas escolares, al 15% a dormir menos para jugar, al 11% a saltarse las comidas y sólo al 3,8% a no ir a clase. Las conclusiones de este informe no son ni mucho menos alarmantes, pero sirven para percatarse de la situación. El 58% de los jóvenes de esas edades dicen ser jugadores habituales de videojuegos. (Anexo 3)

De vuelta al tema general, el uso que se haga de los nuevos canales de comunicación es lo que marca la diferencia entre utilizar, por ejemplo, Internet o perder el tiempo con Internet. Pero, para muchos jóvenes, navegar por la Red, aunque no sea de forma útil, es un divertimento, una forma de entretenerse. El problema es si saben distinguir entre la información válida y la que es pura basura. Lo sabrán si se les ha enseñado a tener sentido crítico.

Sobre esta cuestión opina el Nobel de Literatura José Saramago: «Creo que Internet es sólo un cambio tecnológico, todo lo que está ahí ya lo teníamos antes en las enciclopedias; lo único que se añadió es la posibilidad de consultarlo rápidamente. Se pregona que estamos todos comunicándonos maravillosamente por Internet. La comunicación por Internet no es comunicación, no comunicamos si no estamos juntos. Estamos viviendo en una esquizofrenia total, comunicando todo y comunicando nada. Llevamos millones de años para crear lo que tenemos dentro de esa caja cósmica y parece que estamos renunciando al uso del cerebro. Por eso yo creo que hay tres preguntas con que deberíamos despertarnos por la mañana y pasar todo el día preguntándonos unos a otros, hasta encontrar alguna respuesta: ¿Por qué?, ¿para qué?, ¿para quién? Aunque la respuesta de hoy no sirva para mañana, no debemos perder el espíritu crítico. Si lo perdemos lo estamos perdiendo todo».

Es imprescindible enseñar a los niños a distinguir entre la información válida y la que no lo es. Uno de los expertos en la materia, Joan Majó, que preside el Information Society Forum, dio una conferencia sobre la influencia de las nuevas tecnologías en la educación, publicada por la Universidad Oberta de Catalunya en su página *web*. En ella explicaba: «Estamos pasando de una sociedad donde la transmisión de información ha sido fundamentalmente escrita a una sociedad donde esta transmisión ya no será escrita. Han aparecido nuevos sistemas que tomarán protagonismo, aunque la transmisión escrita todavía existirá, a pesar de que cambiará su medio. Es lo que llamamos *soportes multimedia*. Tendremos que aprender a analizar el lenguaje audiovisual, ya que en el futuro nos llegará toda la información en este lenguaje, y de una manera especial, en el lenguaje visual. La imagen tiene un lenguaje impresionante que ha evolucionado muchísimo en las últimas décadas. Este lenguaje audiovisual no lo conocemos y nuestros hijos tampoco, y están recibiendo un impacto extraordinario cada día, de una potencia increíble. Sin embargo, de todos estos elementos audiovisuales no sabemos nada. Por eso se está aprovechando tanto desde el punto de vista comercial».

«Es curioso, porque antes, cuando poníamos la televisión y daban una película que parecía demasiado fuerte, fuera por sus escenas de sexo o de violencia, a los niños de 9 o10 años les decías: "¡A la cama!". Pero a un niño de dos años no le dices: ¡a la cama!; pensamos: "No entiende lo que ve en televisión". ¿Cómo sabemos que no lo entiende? Él entiende mucho de imágenes, pero lo que pasa es que no lo sabemos; sabemos que no entiende demasiado la voz, y sabemos que no sabe leer; sin embargo el impacto de la imagen en la personalidad a partir del momento en que los ojos permiten ver debe de ser impresionante.»

Majó continúa con una interesante explicación: «El proceso de formación de nuestro cerebro empieza en el embarazo y acaba a los 13 o 14 años. Sabemos que cuando el niño nace ya tiene un número importante de neuronas. Su número de neuronas no crece, es fijo. A partir del momento del nacimiento, ya no hay más neuronas. Simplemente mueren millares de ellas cada año. Sin embargo, como hay millares de millones, no importa. Pero lo que es un proceso continuado es el número de sinapsis que se establece entre ellas. Un día calculé que si una persona tiene tantos billones de sinapsis, y todas las sinapsis se hacen en el proceso de educación, ¿cuántas sinapsis o cuántas interconexiones entre neuronas se hacen? Me salieron unos cuantos millones por minuto. Entonces, me imagino que cada vez que uno ve una cosa en televisión deben crearse millones de sinapsis. Pues bien, todavía no hemos asimilado el impacto visual, el impacto de la imagen en los procesos de formación y en los procesos educativos en comparación con lo que hemos desarrollado, hasta extremos inauditos, en relación con el lenguaje escrito, el cual sí que dominamos».

Este especialista internacional concluye que la referida situación plantea la necesidad de reformar tres pilares del proceso educativo: los planes de estudios o currículos, el papel de los actores y el de las instituciones. A las vías de adaptarse a esta realidad mira actualmente la educación. Entre esos actores, además de los profesores, están también los padres. Y esta realidad afecta de forma crucial a los contenidos, de ahí la necesidad de ir adaptando a ella los planes de estudios. Su revisión, actualización y la incorporación de otros nuevos es la tarea a la que mira actualmente la educación.

El vertiginoso desarrollo de las nuevas tecnologías y sus repercusiones en la educación ha provocado un llamamiento generalizado de los organismos internacionales a la reflexión y a la búsqueda de vías de soluciones de cara al futuro. El informe *La educación encierra un tesoro*, publicado por la Unesco hace casi una década, cuando Jacques Delors presidía la Comisión Internacional sobre la Educación para el siglo XXI de este organismo, advertía: «El desarrollo de las nuevas tecnologías de la información y la comunicación debe dar pie a la reflexión general sobre el acceso al conocimiento en el mundo del mañana». Y añadía cuatro recomendaciones, aún hoy vigentes, dirigidas especialmente a los gobiernos y en las que no olvidaba a los profesores:

—La diversificación y el mejoramiento de la enseñanza a distancia gracias al uso de las nuevas tecnologías.

—Una mayor utilización de estas tecnologías en el marco de la educación de adultos, especialmente para la formación continua del personal docente.

—El fortalecimiento de las infraestructuras y las capacidades de cada país en lo tocante al desarrollo en esta esfera, así como la difusión de las tecnologías en el conjunto de la sociedad; se trata en todo caso de condiciones previas a su uso en el marco de los sistemas educativos formales.

—La puesta en marcha de programas de difusión de las nuevas tecnologías bajo los auspicios de la Unesco.

A la hora de hablar de la generación tecnológica no se pueden olvidar las diferencias entre los países más y menos desarrollados, tampoco el peligro de que las nuevas tecnologías aumenten más las distancias en el mundo del mañana, el de nuestros hijos, si no se proporciona una alfabetización tecnológica a los jóvenes de los países con menos recursos. El Informe Mundial sobre la Educación, de 1998, editado por la Unesco y la editorial Santillana, apuntó ya entonces «el peligro de una brecha cada vez más grande entre los países *informáticamente ricos* e *informáticamente pobres* es una preocupación fundamental para la Unesco: mientras que en toda África hay escasamente más teléfonos que en la ciudad de Tokio, aproximadamente el 85% de los estudiantes de 14 años en Escocia, Inglaterra y Holanda tienen un ordenador en casa».

Uno de los principales expertos internacionales en este tema, el director del programa de posgrado en políticas educativas de la Universidad de Harvard, Fernando Reimers, apostilla: «Una de las formas de exclusión en la educación de hoy en día es el no tener acceso a las nuevas tecnologías; pero no a tener un teclado y un monitor, sino a conocer la cultura de Internet, porque buena parte de la economía del futuro, y quizás de la política, va a circular por Internet».

Capítulo VII

Los nuevos conocimientos

Globalización, informatización, clonación, efecto invernadero. Aumenta a pasos agigantados la complejidad del mundo. Han surgido nuevas asignaturas, como la Informática; las hay que han cobrado más fuerza, como los idiomas extranjeros, y están las que han cambiado sus contenidos y se han vuelto mucho más complejas, como la Biología. Los niños tienen a su alcance infinitos puntos de entrada de información. Esos canales son, además, más poderosos y ejercen una fuerte influencia en ellos, como los *chats* de Internet, la televisión, los videojuegos e incluso sus cantantes favoritos. Pero muchos padres y abuelos no acaban de entenderlo. «¡Cómo es la juventud actual!», les gusta decir a los mayores. Además, para cargarse de razón se remiten a su propia experiencia, que empieza siempre: «Es que en mis tiempos...». A la educación le pasa lo mismo que al fútbol: todo el mundo ha jugado en alguna posición alguna vez y por eso cree que sabe de ella. Está demostrado que por mucho que el mundo avance y accedamos a cotas de conocimiento maravillosas —que enriquecen sin duda a las nuevas generaciones mientras las hacen cada vez más distintas a las anteriores—, hay cosas que se resisten a cambiar. Sócrates escribió hace 25 siglos: «Nuestra juventud ama el lujo, tiene malos modales, menosprecia la autoridad y no tiene ningún respeto a los mayores. Los niños de nuestra época son tiranos, ya no se levantan y esclavizan a su maestro».

Cada grupo generacional critica al siguiente porque se cree modélico. «Últimamente se oye mucho criticar a la juventud actual», dice el pedagogo Luis Ruiz del Árbol. «Pero es un generación estupenda, a la que hemos educado en el diálogo, en la protesta. Puede que algunas personas no hayan sabido poner límite a esa libertad, pero son en general jóvenes que, porque se sienten libres para elegir, deciden hacer muchas veces cosas ejemplares, como ser solidarios, y ahí está el ejemplo de los que han acudido como voluntarios a Galicia para ayudar a quitar de las playas el vertido de petróleo del *Prestige.* Se dice, por ejemplo, que algunos se atreven incluso a escupir a su profesor. ¿Pero cuántos chavales habrá en España que hayan escupido a su profesor? ¿15? ¿Y qué pasa, que antes no se hacían gamberradas? Hace años estaban, por ejemplo, las generaciones de la droga en algunas barriadas, ¿quería esto decir que todos se drogaban? Pues no.»

Ruiz del Árbol añade que hay a menudo una tendencia «a exagerar los problemas de forma interesada, para justificar el tomar medidas o para justificar el no trabajar: "Si los padres no colaboran, yo paso", se excusan algunos profesores. "Si el centro no hace nada, yo solo no puedo", dicen algunos padres».

¿Cómo aprende un niño en este nuevo mundo informatizado que le bombardea con nuevos contenidos? El periodista Carlos Arroyo hace un análisis de la situación: «Un buen aprendizaje requiere que los contenidos que se asimilen estén muy bien jerarquizados, un aprendizaje significativo, en redes. Con alguna excepción, como los niños que tienen muy buena memoria y asimilan todas las cosas. De esta forma, se va aprendiendo relacionando los conocimientos y se van creando las redes basadas en lo que es más importante. Pues las nuevas tecnologías dificultan este tipo de aprendizaje porque traen un aluvión de información. Una persona bien preparada sabe distinguir dentro de todos esos contenidos, pero otra que no lo esté tiene el riesgo de convertirse en una persona sin discriminación intelectual, que se engancha a cualquier concepto, sea o no relevante».

Asegura este periodista especializado en educación que los padres deben valorar la importancia de la *gimnasia conceptual:* «Que aprendan a hacer esquemas de los contenidos más importantes, por ejemplo. Esto las generaciones tecnológicas lo tienen más difícil, lo que no quiere decir que las generaciones anteriores, las formadas en el aprendizaje memorístico, sean mejores. Sin embargo, muchos de esos padres piensan que la educación de sus tiempos era mejor, algo que ha pasado siempre a lo largo de la historia, y lo que hacen es ejercer una gran presión a esta nueva generación tecnológica. Estos chicos viven entonces en un entorno que los adultos no entendemos y en un mundo que, desde el punto de vista intelectual, se ajusta mal a su horizonte».

La pedagogía tiende hacia el aprendizaje significativo, pero la mayoría de los padres no. Lo que en realidad les interesa a muchos es comprobar la sabiduría inmediata de sus hijos. Y los programas educativos de la televisión de carácter competitivo persiguen exactamente lo mismo. Es el aprendizaje-espectáculo. Pero el buen aprendizaje no se fija como objetivo la acumulación en el cerebro de conocimientos y datos. Si fuera así, las personas con mala memoria serían inútiles. Advierten buena parte de los especialistas que los mayores no deberían conceder tanta importancia al aprendizaje memorístico, al aprendizaje aislado de determinados conceptos, y que el aprendizaje significativo es el mejor camino para las nuevas generaciones. Ahora bien, que aprendan de esta forma no quiere decir que no estén memorizando, que no haya contenidos que sea necesario aprenderse de memoria. Los aprenden igual, pero en relación con lo demás.

Un ejemplo sencillo. ¿En qué se diferencian el peso y la gravitación? ¿Qué es más universal y qué más parcial? Los que aprenden de forma significativa saben que el peso es un caso particular de gravitación. Que el peso es la fuerza gravitacional con la que es atraída cualquier masa por la Tierra. Sin embargo, con el aprendizaje memorístico, se enseña el concepto de peso por un lado, y el concepto de gravitación por otro.

El catedrático de Psicología Evolutiva y de la Educación en la Universidad de Barcelona César Coll explica que cada vez más los niños y los jóvenes tienen acceso a informaciones y conocimientos, y hacen suyos valores, actitudes, intereses, modas y costumbres que los padres desconocen o que les son en buena medida ajenos. Pero puntualiza que la reacción es distinta en ambos casos.

«Ante la constatación de que los hijos tienen conocimientos y han desarrollado habilidades y destrezas que a ellos les son desconocidas, en general los padres no se sienten inquietos ni desazonados. Antes al contrario, por lo general se sienten orgullosos. Los padres y las madres suelen referirse con satisfacción, por ejemplo, al hecho de que sus hijos conozcan uno o más idiomas, manejen con soltura y eficacia los ordenadores y otros aparatos electrónicos, o sean particularmente hábiles en el uso de Internet para buscar información sobre los temas más diversos; sobre todo, cuando ellos no conocen estos idiomas o se perciben a sí mismos como poco o nada hábiles en el manejo de los ordenadores y en el uso de Internet. Por supuesto, este sentimiento de orgullo y satisfacción es a menudo compatible con la queja de que sus hijos tienen lagunas importantes en otros ámbitos más clásicos y tradicionales de conocimiento (por ejemplo, conocimiento de hechos geográficos, históricos, científicos, literarios, etcétera).»

Así pues, como se desprende de la cita, Coll no percibe desconcierto en los padres por el hecho de que sus hijos posean conocimientos que ellos no tienen, pero «sí que se detecta en muchos padres una reacción de perplejidad ante el hecho de que la adquisición de estos nuevos conocimientos y habilidades no viene a sumarse, en ocasiones, al aprendizaje de los contenidos tradicionales, sino que más bien lo sustituye. Pero esta perplejidad es sólo el reflejo de la ambigüedad y de la falta de definición actual sobre las finalidades y los contenidos básicos de la educación escolar, especialmente en sus niveles básicos y obligatorios. Los discursos sobre el particular son altamente contradictorios y las decisiones —plasmadas, por ejemplo, en el establecimiento de las enseñanzas mínimas y en los currículos oficiales establecidos por las Administraciones educativas— responden más bien a una lógica acumulativa, consistente en añadir nuevos contenidos y asignaturas a los contenidos y asignaturas ya existentes, que a una reflexión, valoración y discusión sobre qué es realmente básico y fundamental que los niños y jóvenes aprendan para convertirse en ciudadanos con plenitud de derechos y deberes en nuestra sociedad».

Para este experto, el problema reside en aplicar una lógica acumulativa al establecimiento de los contenidos escolares, ya que conduce inevitablemente al fracaso y a la frustración en la práctica. Basta con echar una mirada a los programas actualmente vigentes de Educación Secundaria Obligatoria o de Bachillerato para darse cuenta de que es imposible que los alumnos aprendan de verdad, es decir, comprendan, y retengan la cantidad ingente de contenidos que en ellos se recogen. «La consecuencia es que los padres perciben que, si bien sus hijos saben por lo general muchas cosas que ellos no conocen —lo que les hace sentir orgullosos—, en cambio no saben muchas otras cosas que ellos sí —o creen que sí saben—, y que, además, según la normativa y el discurso oficial, se deben aprender, lo que produce preocupación y perplejidad.»

Luis Ruiz del Árbol expone, en esta misma línea, hacia dónde va dirigido el aprendizaje, más allá del mero almacenamiento de ideas: «Lo que se hace, en definitiva, en la escuela es generar ejercicio mental. Cuando estás en ella estás entrenando tus capacidades para desarrollarlas, para aprender a resolver problemas, para tener unas capacidades que se van desarrollando, y que luego en el trabajo la gran mayoría ya no utilizará. Muchos hablan de garantizar una cultura general, pero te citan las Guerras Púnicas, algo de lo que de adulto ya ni te acuerdas. Igual te suena. Pero la cuestión es que puedes haber profundizado en la historia o en la música clásica, porque te gustaba, pero muchas de estas cosas lo que te han servido es como ejercicio, hay que ejercitar mucho a los chavales, hacerles trabajar mucho, pero la metodología tiene que respetar el ritmo del niño. Y cuando no se hace se provoca un desastre».

¿Cómo encaja en esto el papel de los padres? Ruiz del Árbol responde: «Los padres tienen la función de armar los afectos de los hijos, exigirles, mantener estructuras básicas, alimentarles, darles serenidad. No se puede confundir la escuela con la casa. La casa tiene una función muy importante, la del estímulo, la del entendimiento, la de la maduración, y la escuela tiene la función de estructurar, la función de comprender y la función de socializar. La socialización la comparte con la familia. La función de los padres es que sus hijos lleguen a un sitio donde puedan vivir con dignidad, donde alcancen un cierto grado, un cierto nivel, que puedan sentirse bien, tener los bienes que la sociedad les ofrece».

El filósofo francés del siglo XVI Michel de Montaigne ya se refería en sus *Ensayos* a la excesiva preocupación de los progenitores por enfocar la educación hacia la acumulación de contenidos: «La preocupación y los afanes de nuestros padres no tienden sino a llenarnos de ciencia la mente; del juicio y de la virtud no se preocupan en ningún sentido». Y añade: «Solamente trabajamos para llenar la memoria, dejando vacías la inteligencia y la conciencia».

La necesidad de orientar la educación del futuro hacia "aprender a aprender" la recordó hace ya casi un década la Unesco en el informe *La educación encierra un tesoro*, donde apuntaba los cuatro pilares sobre los que ha de sostenerse el proceso de formación del niño: aprender a conocer, aprender a hacer, aprender a vivir con los demás y aprender a ser.

¿De qué manera se enseña a aprender a aprender? Es complicado, en especial para los profesores. La profesión de docente ha cambiado, sobre todo conceptualmente. Ya no es el Oráculo de Delfos. En este nuevo mundo saturado de conocimientos y de canales de información, ya no se debe mirar al profesor en tanto que depositario de conocimientos sino como el que sabe dirigir el aprendizaje de los alumnos. En un plano ideal, será como un consultor, un asesor, que va guiando al chico, porque la ciencia, el conocimiento, ya no le viene al alumno sólo del profesor. Pero éste sí tiene la capacidad de jerarquizar, de dar prioridad a unos contenidos sobre otros. Debe tener más habilidades intelectuales como investigador del conocimiento para orientar al niño sobre cómo resolver algo o dónde puede encontrar la solución. Se trata de una tendencia que está ya sustentada pedagógicamente, pero que, con las nuevas tecnologías y los imperativos de la globalización, se ha incrementado muchísimo.

Aprender a jerarquizar es clave en un mundo lleno de contenidos superfluos, así como aprender a autoevaluarse. Al profesor también le corresponde enseñar al niño a discriminar, según su edad, entre lo verdaderamente relevante y lo prolijo. Si determinados conocimientos (que el alumno haya visto en Internet, por ejemplo) son propios de su edad y de su ritmo de aprendizaje, y si otros son demasiado complejos y debe dejarlos para más adelante.

Aparte del rol intelectual y pedagógico del profesor, también ha cambiado su rol psicológico.

Porque antes eran impartidores de ciencia y ahora son, además, educadores de niños e incluso, en cierto modo, cuidadores de niños. Un padre espera que un profesor eduque también a los niños en conductas y valores. Que cuando se lo encuentre comiendo con la boca abierta en el comedor le diga que la cierre. De hecho, si una madre ve a su hijo comportarse de esa manera y hay un profesor delante que no lo corrige, la madre se crea una mala imagen de ese profesor. Esto no quiere decir que no haya habido siempre docentes preocupados de cuestiones de ese tipo, pero es verdad que en la actualidad los padres lo han convertido en una exigencia, lo consideran parte de la labor del profesor.

Con el fin de que ejerzan adecuadamente las nuevas competencias que se les atribuyen, los profesores —de hoy y del futuro— necesitan una preparación previa específica. Quizás la sociedad y los gobiernos no se hayan dado cuenta de que éste constituye un asunto prioritario. Desde la revisión de la carrera universitaria que forma a los maestros de educación infantil y primaria y de la preparación de los licenciados para poder acceder a un puesto como docente de secundaria, hasta la formación permanente de todo el profesorado en activo. La inversión en estas cuestiones es una de las llaves que permitirá a los adultos del mañana tener una educación que de verdad les ayude a vivir en un universo de conocimientos. De poco servirán las reformas educativas si no se incluye en ellas un plan global apoyado con una sustanciosa financiación para lograr este objetivo.

Si los gobiernos no demuestran que valoran a los profesores (tanto a los de secundaria como a los maestros de primaria e infantil), la sociedad tampoco lo hará. ¿Y cómo pueden demostrar que los valoran? Pues haciendo declaraciones en este sentido, escuchando las posiciones de todos los colectivos de profesores de cara a posibles modificaciones legales, ajustando los sistemas educativos a los problemas que tengan los docentes, pagándoles mejor y poniendo en marcha planes de promoción y de incentivos basados en la evaluación de su trabajo, voluntaria al principio y obligatoria después.

También los padres necesitan apoyo para acometer esta tarea. La desinformación que manifiesta la mayoría sobre estos nuevos contenidos y formas de aprendizaje se debe en buena parte a la falta de vínculos con el mundo de la educación. Una modalidad válida aunque poco extendida son las escuelas de padres. Hay iniciativas de padres y escuelas que pueden servir de ejemplo.

El ex secretario general de la Unesco Federico Mayor Zaragoza opina que los padres deben tener entrevistas personales a menudo con el tutor del niño, al menos mientras es pequeño, con independencia de que se involucren en las asociaciones de padres. «Las entrevistas suelen producirse una vez al año o al trimestre. Pero los maestros deben decir a los padres: "Si a alguien le interesa su hijo, es a usted, yo soy el maestro pero usted es su padre o su madre, mire lo que está pasando, se lo cuento". Porque los padres miramos sólo las notas, es el único reflejo que tenemos. Y muchas veces callamos, disimulamos otras cosas que ha hecho el niño y no les damos importancia, cuando la verdad es que, si las ha realizado, tenemos responsabilidad en ello, por no dedicarle más tiempo a los hijos y algo menos al trabajo.»

Ginés Martínez Cerón, que es padre de un niño de 10 años y vicepresidente de la confederación laica de padres Ceapa, considera que la formación de los padres «está muy descuidada». «En las escuelas de padres, igual que en las asociaciones de padres, la formación suele ir dirigida solamente al mundo escolar. Hay que abrir un espacio donde también los padres aprendan cómo pueden implicarse y responsabilizarse en la educación. No es ciencia infusa, puedes intuir algunas cosas como padre y otras no, y no todo el mundo puede aprenderlo solo. Aprender a planificar con los hijos, por ejemplo, lleva su tiempo. No es que uses la palabra planificación con ellos, pero sí vas primero diciéndole que a ver si juega al baloncesto, luego que a ver qué se le ocurre que podríamos hacer juntos y así, en común con él, vas intentando que tenga estrategias de pensamiento, porque no quieres que sea una persona rígida a la que le digas tú las cosas. Deseas que vaya buscando aquellas situaciones o estrategias que en cada momento necesita resolver. Pero estas cosas no son tan fáciles de aplicar y hay muchos padres que no saben por dónde empezar.»

En realidad, lo que preocupa y desasosiega a los padres no es tanto que sus hijos sepan cosas que ellos no saben, como señalaba César Coll, sino la percepción de que, por una parte, estos conocimientos parecen ir en detrimento de otros que consideran igualmente importantes, y por otra, de que se integran en un sistema de valores, actitudes e intereses que les resulta ajeno y que a menudo no entienden. Este experto concluye: «La solución no estriba en que los padres aprendan también los conocimientos y habilidades que tienen sus hijos —bien porque los hayan adquirido a través de la enseñanza en escuelas e institutos, bien porque los hayan adquirido vicariamente o por participación en otros entornos—, aunque me parece por supuesto conveniente y aun necesario, en ocasiones, promover y facilitar estos aprendizajes. La solución debe venir más bien de ayudar a los padres y madres a tomar conciencia de su importancia como "educadores" y a desarrollar y adquirir estrategias que les permitan ejercer la influencia educativa sobre sus hijos de la manera más constructiva y efectiva posible. Las llamadas "escuelas de padres", de las que existen ya excelentes experiencias en muchos países, podrían cumplir, entre otras, esta función».

Capítulo VIII

La transmisión de valores

«¿Queréis inspirar a los jóvenes el amor a las buenas costumbres? En lugar de repetirles incesantemente "sed prudentes", despertad en ellos interés para que lo sean; hacedles sentir todo lo que la prudencia vale y lograréis que la amen», escribe Jean Jacques Rousseau en *Emilio.* Este pensador, que creía en la bondad innata del hombre, sitúa a Emilio en el campo, aislado, lejos de influencia alguna y con un único guía, su profesor. Éste tiene la labor de enseñarle ideas, valores, sentimientos, y de conducir su educación por donde le dicte su propia naturaleza.

En un mundo real, al menos en el nuestro, los niños aprenden las actitudes y los valores de todo lo que les rodea, los imitan. Aunque algunos conocimientos se les pueden quedar grabados si se les repiten constantemente (los entiendan o no), no asimilarán los valores si no se logran despertar en ellos. Porque un esquema de comportamiento no existe si no se practica. Es como el señor que va a misa de 12.00 todos los domingos, pero luego no quiere que sus hijos tengan amigos de clase humilde o que se relacionen con hijos de inmigrantes. De poco sirve asentar la educación sobre sólidos principios, como no se cansan de repetir los que más saben de este tema, si no se hace ver a los niños su sentido y si no se predica con el ejemplo.

Una de las mayores dificultades con las que se encuentran los padres es cómo orientar a sus hijos en una sociedad mucho más plural que cualquiera de las anteriores, en la que a menudo los valores no están claros, y que cae permanentemente en contradicciones; en la que la forma de vida que los jóvenes practican en la calle y con sus amigos contrasta muchas veces con aquello que su familia o su escuela les intentan inculcar. Para muchos padres, transmitir un sistema de valores a sus hijos es su «gran problema», no saben cómo hacerlo, por dónde tirar y cómo afrontar este mundo globalizado en el que todos nos enteramos de todo.

La educación en valores representa bastante más que el hecho concreto de enseñar a dos niños a respetarse o a no discriminar a un tercero. La educación en valores es la que permite entender el significado del estudio y del esfuerzo, en definitiva, el significado de la Educación con mayúsculas.

«Los padres piden que sus hijos tengan valores, pero no lo aprecian cuando se les enseña», explica Juan Ramón G. R., un profesor de Madrid. «Cuando el niño llega a casa sabiendo que no puede tirar un papel al suelo, los padres no lo valoran. Pero si lo tira al suelo le dicen: “¿Pero no te han enseñado que eso no se hace?".» Juan Ramón menciona este ejemplo para reflejar su malestar por la falta de reconocimiento de muchas familias al trabajo educativo complementario que hacen no pocos docentes y que no se refleja en las notas. Algunos padres (no todos) consideran que este tipo de cuestiones ya se las enseñan ellos. Cierto, pero es que el niño pasa la mayoría de las horas de sus años escolares en el colegio, no con la familia. Y el centro puede reafirmar o corregir algunos de esos modales o actitudes de los niños. No hay que olvidar que la transmisión de valores en la escuela es muy importante en numerosas familias de bajo nivel cultural.

Lo primero que habría que hacer es definir de qué valores estamos hablando, así como dejar clara la necesidad de que exista un estrecho contacto entre los padres y el colegio para que lo que se enseñe tenga realmente efecto, se refuerce y el niño perciba una coherencia. En la educación en valores que se imparte en los colegios se procura incluir de forma tanto explícita como implícita, por un lado, valores morales (como la justicia, la paz y la igualdad) y, por otro, de conducta (como los relacionados con la salud y el respeto al medio ambiente). La catedrática de Ética y Filosofía Adela Cortina explica esta cuestión en el libro *La educación y los valores:* «La enseñanza es siempre, explícita o implícitamente, una transmisión de valores, a través de la palabra del profesor o a través de lo que omite. No hay enseñanza neutral, sino siempre cargada de valores, por eso más vale explicarlos y tratar serenamente sobre ellos, para no caer en la indoctrinación». Esta autora insiste, asimismo, en la importancia de educar en valores morales (que sirven como integrados por otros, como los estéticos, los religiosos, los relacionados con la salud, los intelectuales o los de utilidad), sea a través de la escuela, de la familia, de la calle o de los medios de comunicación.

Cortina advierte en el mismo texto que se trata de una tarea compleja y añade más adelante una descripción muy clarificadora de lo que significa educar en valores:

«La cuestión de los valores es, pues, una cuestión no sólo de intuición personal, de captación personal del valor, sino también de cultivo de las predisposiciones necesarias para apreciarlo, para degustarlo. Como se degusta un café o se paladea un buen vino, que al cabo importa tener un paladar selectivo, capaz de apreciar lo que realmente merece la pena. La educación en valores consistiría pues, en cultivar esas condiciones que nos preparan para degustar ciertos valores.»

Valores que se aprenden en familia y en el entorno cercano del niño (con los amigos, en su barrio) son la solidaridad, la importancia de la socialización, pero también son valores el aprender a responder ante los estímulos y las decepciones, a amar, a esforzarse, a adquirir autonomía, a defenderse. Y por otro lado están los valores sociales. Cuando el niño sale de su ámbito más inmediato se encuentra con que debe aplicar otros principios añadidos, como el respeto a los demás, con independencia de su «nacimiento, sexo, religión, opinión o cualquier otra condición o circunstancia personal o social», como recoge el artículo 14 de la Constitución Española al hablar de los derechos y libertades de todos los ciudadanos ante la ley. Aparte de estos valores, la escuela se ocupa de otros, como los que señala la principal ley educativa española, la Ley Orgánica de Ordenación General del Sistema Educativo (LOGSE), de 1990:

«En la educación se transmiten y ejercitan los valores que hacen posible la vida en sociedad, singularmente el respeto a todos los derechos y libertades fundamentales, se adquieren los hábitos de convivencia democrática y de respeto mutuo, se prepara para la participación responsable en las distintas actividades e instancias sociales. La madurez de las sociedades se deriva, en muy buena medida, de su capacidad para integrar, a partir de la educación y con el concurso de la misma, las dimensiones individual y comunitaria».

Hasta aquí el planteamiento general, pero además la LOGSE especifica —según la fase del proceso educativo en que se encuentre el alumno— cuáles son los fundamentos en los que se ha de basar su formación. En primaria destaca, por ejemplo, la necesidad de que los niños conozcan las características fundamentales del medio físico, social y cultural, y, en la ESO, la de que aprendan a comportarse con espíritu de cooperación, responsabilidad moral, solidaridad y tolerancia, respetando el principio de la no discriminación entre las personas (Anexo 4).

Los cambios sociales que vivimos están condicionando de forma considerable los valores de los jóvenes, como refleja *Los valores del alumnado de educación secundaria de la Comunidad de Madrid*, un estudio reciente, realizado por el Instituto Idea, que analiza las opiniones de los estudiantes al respecto. Las principales conclusiones a las que llega son que la mayoría de los jóvenes considera que los que más influyen en sus valores son sus padres, y, en lo que se refiere al grado de influencia, el porcentaje de alumnos que la consideran bastante o muy importante es más alta entre los que tienen buenas notas (lo cree el 90,7%) que entre los que obtienen peores calificaciones (el 77,7%). Además, el estudio comprueba que los jóvenes de este último grupo manifiestan que la repercusión en sus principios de determinados agentes —ya sean sus padres, amigos, hermanos, colegio o los medios de comunicación— es menor. Aparte de la relación que este informe detecta entre el rendimiento académico de los jóvenes y la influencia que ejerce su entorno en sus valores, los datos generales que proporciona son también interesantes: el 85% de los jóvenes considera que sus progenitores influyen bastante o mucho en sus valores (Anexo 5).

A la hora de educar en valores, a los padres les corresponde el papel de actuar como mediadores entre el niño y la sociedad. Así lo considera la catedrática de Psicopedagogía de la Universidad de Deusto Carmen Valdivia, según señala en un capítulo sobre la familia que forma parte del estudio *España 2000, entre el localismo y la globalidad.*

Encuesta europea de valores en su tercera aplicación, 1981-1999, publicado por la Fundación Santa María. Esta experta reflexiona: «Se han convertido en un tema recurrente las dificultades que plantea el ser padres, pero no se plantean tanto como se debería las dificultades de ser hijo, madurar en un mundo lleno de estímulos inconexos, en el que puede confundirse la imagen real con la digital, en el que la apertura puede no tener fronteras y en el que sin moverse se puede acceder a toda la información y conseguir fácilmente lo que se quiera». Tras esta explicación, Valdivia concluye que «los valores que la familia transmite hoy tienden a estar en consonancia con los que se viven en la sociedad». Y añade que estos valores varían de acuerdo con la edad, el nivel social y cultural o la inclinación política y religiosa.

El panorama sobre los valores de las familias españolas que describe esta profesora después de analizar los datos es muy heterogéneo. Consigna las 11 cualidades que se tienen en mayor consideración entre las familias de nuestro país: «Buenos modales, sentido de responsabilidad, tolerancia y respeto a los demás, obediencia, independencia, imaginación, sentido de economía y espíritu de ahorro, determinación y perseverancia, trabajar duro, fe religiosa y abnegación». El estudio concluye que, desde 1981, se manifiesta un ascenso en el nivel de valoración de las cinco primeras cualidades: buenos modales, sentido de responsabilidad, tolerancia y respeto a los demás, obediencia e independencia. También ha aumentado, en el mismo periodo, la valoración de las familias sobre la importancia de que se fomente la imaginación en casa y del espíritu de ahorro.

En cambio, es llamativa la disminución de la relevancia que se otorga a transmitir el valor de trabajar duro. Carmen Valdivia dice sobre esto: «Es preocupante y viene a coincidir con las apreciaciones que hacen muchos centros educativos con relación al poco esfuerzo y falta de interés en el trabajo escolar que se manifiesta hoy en muchos alumnos y en la observación generalizada de que hoy el niño consigue fácilmente lo que le interesa». La fe religiosa desciende un poco, así como la abnegación, que representaba ya un valor bajo.

Con relación a la pérdida del valor del esfuerzo que se atribuye a menudo a la juventud actual, el pedagogo y director del Centro de Actividades Pedagógicas de la Fundación Tomillo (una organización especializada en la educación en zonas socialmente desfavorecidas), Luis Ruiz del Árbol, matiza: «Cuando se acusa a los jóvenes de que han perdido el valor del esfuerzo se debería tener en cuenta la economía basura en la que vivimos actualmente. Ves a chicos con un buen currículo, que han hecho una carrera universitaria o han estudiado FP, pero que se están dedicando a hacer cucuruchos para helados, y luego trabajan dos meses en un McDonald's y después cuidando niños. Es cierto que hay una generación de padres, como la mía, que ha querido compensar todo, dar a sus hijos lo mejor y que vivieran plenamente la libertad, y que han criado hijos que se han convertido en *niños muelle*, sin ningún tipo de motivación. Pero no hay que olvidar que muchos chavales que se han esforzado en estudiar ahora tienen que hacer un esfuerzo tremendo para sobrevivir».

No se trata de decir quién debe educar o dejar de educar en valores. La calle, los medios de comunicación, Internet, los amigos... Todos educan en valores. La familia educa en sus propios valores; la escuela en los comúnmente aceptados, como los democráticos, y es el lugar adecuado para educar en la convivencia con personas de otras creencias o de otras nacionalidades.

El secretario general de la Federación Española de Religiosos de la Enseñanza (FERE), Manuel de Castro, habla de los valores comunes, los de todos: «En el tema de convivencia hay un acuerdo común en educar en el respeto, la no violencia, el resolver los conflictos a través del diálogo, la igualdad de sexos, la justicia, la verdad. Hay valores que todos compartimos y otros que puede que sí o puede que no (como los religiosos), pero yo creo que podíamos hacer un elenco de valores, de 15 o 20 valores en los que coincidimos todos, y que no hay nadie que no quiera educar a sus hijos en ellos. No creo que haya excesivos problemas en esto, en que se eduque en los grandes valores humanos».

Para Manuel de Castro el gran problema radica en que «la gente no se da cuenta de que los valores se educan fundamentalmente viviéndolos». «Un centro educativo no solamente educa en los valores que enuncia en un proyecto educativo, hay que ver cómo se comporta a la hora de la admisión de los alumnos, cómo es la actitud del señor que recibe en la portería o en la administración del centro, cómo se comportan los profesores cuando tratan a los niños, si lo hacen con justicia cuando les ponen una nota o toman una decisión y si dialogan con él, le escuchan, ven sus razones.» De Castro también subraya que hay que enseñar a los niños que todos, incluso su madre o su padre, se pueden equivocar.

Miguel Gómez, que es padre de dos chicas de 18 y 24 años, insiste en este aspecto: «A mis hijas siempre les he hecho ver que yo no soy el que ellas están pensando, aunque sé que decirlo puede ser un arma de doble filo. Al principio, se creían que era una broma, hasta que un día empezaron a ver que podía cometer errores. A mí me ha dado buen resultado, aunque no se debe extrapolar. Pero, a la vez, yo creo que hay que decirles a los hijos que ellos, como niños, tienen una limitación que tú no tienes. De forma que si tú un día dices un taco porque te has pillado un dedo con el martillo, o sin motivo aparente, es algo que no está bien, pero los hijos deben saber que no vas a consentir que ellos lo repitan. ¿Por qué? Porque tienes que hacerles entender que su límite como hijos y el tuyo no es el mismo. Y decirles: "Yo soy adulto y puedo cometer errores, pero tú eres un niño y te estoy educando, por eso yo me tomo un vaso de vino o una copa de coñac y tú no, o yo puedo conducir un coche y tú no"».

Uno de los problemas que se plantean es que algunos valores que se intentan enseñar en casa y en el colegio se contradicen luego con las situaciones que viven los niños y adolescentes. El ejemplo más claro es el del consumismo. Por mucho que unos padres o unos maestros les transmitan las diferencias de valor entre las cosas y las personas, el no dar importancia al tener, la sociedad se mueve en un sentido que choca con el de los educadores. La desproporcionada entrega al consumismo de la sociedad occidental y la fuerza cada vez mayor de la competitividad personal frente a la de grupo hacen que la tarea de las familias y de los profesores en este sentido sea cada vez más difícil. Aunque no imposible. Por mucho que un niño vea que la sociedad es consumista, si se le ha educado para que, cuando sea adulto, estime las cosas en su justa medida es posible que sepa valorar lo que tenga y sea generoso.

Una característica de la sociedad en que vivimos es el fomento del consumismo. El consumo es sólo el afán de poseer y de acceder a las necesidades básicas, algo que sucede en los países más pobres del mundo y entre los más necesitados de las naciones desarrolladas. Pero el consumismo (mejor dicho, el «consumismo derrochador») es lo que ahora en la jerga social se llama, con razón, la *marquitis*, tan común entre los adolescentes, pero que se extiende a las familias en general. Ya no cuenta tanto la calidad de un producto como la marca, sobre todo en la sociedad urbana.

En relación con la enseñanza de valores, el ex presidente del Club de Roma Ricardo Díez-Hochleitner añade que «una de las características de la crisis actual es que prima el egoísmo frente a la solidaridad». «Cuando mencionas el valor de la solidaridad hay muchos que te miran y dicen: "¡Éste es socialista!". Les parece que es una exclusiva del socialista, algo ridículo. La solidaridad es la expresión máxima de amor, es la confraternidad, el deseo de respeto al otro, ser humano, el ejercicio del de ber que se tiene para con los demás. Esto es lo que hace posible ejercer los derechos humanos.»

La situación descrita pone de manifiesto la dificultad que de por sí tiene transmitir valores en la escuela, a la que hay que sumar la de saber introducirlos de forma oportuna en el currículo de cada materia. Es decir, de enseñarlos sin necesidad de enarbolar una bandera cada vez que se habla de paz o de igualdad entre sexos, sino de forma indirecta, relacionándolos, por ejemplo, con la repercusión que han tenido determinados hechos históricos, con las causas de algunos desastres naturales o con la variedad de países, civilizaciones y culturas que conviven en el mundo.

A la hora de enseñar un sistema de valores en la escuela, sean del tipo que sean, es importante que los profesores estén en sintonía. En los colegios en los que existe un «proyecto de centro» es frecuente que se aborden iniciativas, realmente ejemplares, relacionadas con los valores. A veces parten de los docentes, otras, de los propios alumnos y otras, de la asociación de padres. No puede ser casualidad que, año tras año, los centros que llaman a los periódicos para relatar las experiencias que están poniendo en marcha sobre educación para la paz, sobre la defensa del medio ambiente, sobre la ayuda a chicos de barrios marginados o simplemente sobre la elaboración de una revista mensual que hacen en grupo sean aquellos que cuentan con un equipo motivado de profesores, con una dirección activa o con una asociación de padres con mucha más participación que la media de los colegios españoles. Es decir, para educar en todo, pero para educar en concreto en algo tan sensible como los valores tiene que haber un proyecto coherente y democrático detrás.

Cuando en un colegio todos los profesores hablan el mismo lenguaje, no tratan a los niños ni de tontos ni de listos, hay reglas, pero también libertad, y se escucha a los estudiantes, todo eso, aunque parezca mentira, se palpa por los pasillos en una simple visita. Los alumnos te saludan cordialmente y, si les preguntas algo delante del director o de su profesor, no le miran de reojo antes de dar su opinión. De igual modo se percibe cuando en un colegio hay tensión, una educación estricta (que no es necesariamente sinónimo de exigente) y se hacen las cosas porque lo manda alguien; o cuando ocurre todo lo contrario, hay un ambiente permisivo en exceso, en el que se ven, por ejemplo, niños sentados de mala manera sin que nadie les diga nada. Y no es ésta en absoluto una distinción entre centros públicos y privados, aunque algunos tienden a pensarlo. Porque existen también centros privados (e incluso muy privados) en los que los niños están consentidos y hacen lo que les viene en gana, y centros públicos que sobrepasan los límites de la rigidez. Pero sí es una distinción entre centros que tienen equipos coherentes, motivados y coordinados y centros que no los tienen.

Si todo eso lo puede notar un adulto que visita el centro, cómo no lo van a percibir los niños que estudian allí cada día. Se impregnan de ello. Una buena educación es mucho más que una serie de estudios y reglas plasmados en una ley, y un buen colegio es mucho más que un centro que enseña ciertos contenidos a los niños. De ahí la necesidad de que las leyes sean flexibles, para que permitan a los que las ejecutan —los centros— ofrecer la mejor educación posible.

Una buena forma de abordar la enseñanza de valores es empezar por destacar el del amor, especialmente ligado al del esfuerzo. Luis Ruiz del Árbol explica: «Veo que muchos alumnos tienen valores en sus casas que son excelentes, como la solidaridad, y en edades muy difíciles, como son las de la adolescencia. Y creo que lo que más influye a los niños es cuando se les educa en el amor. Este valor es importantísimo. El sentirte querido es lo que ayuda a construir valores, es sentirse aceptado. Cuando esto ocurre, cuando se siente querido, el chico entiende mejor todo, por ejemplo, por qué le han regañado y eso hace que su frustración no sea excesiva».

En resaltar el amor como un valor fundamental en la educación coincide el ex director general de la Unesco, científico y presidente de la Fundación Cultura de Paz, Federico Mayor Zaragoza. Lo expresa a través del ilustrativo ejemplo que constituye su propia experiencia: «La exigencia debe basarse en la autoridad del amor, del buen consejo. Mi padre ha sido conmigo enormemente exigente. Durante mi época de formación (que él no había tenido) le veía muy exigente, pero al mismo tiempo me ayudaba, siempre sonriente, me decía que todos los obstáculos se ganan. Cuando llegó el momento se dijo: "Ya tiene lo que no tuve yo, ya tiene el bachillerato, es un hombre, ya está educado, está formado". Entonces me propuso: "¿Quieres estudiar una carrera? Te la pago, pero tienes que ser un obrero intelectual y tienes que procurar sacar todo el rendimiento a la inversión que voy a hacer contigo, porque, si no, la hago en otras personas que se lo merezcan más que tú". Durante la carrera fue el hombre más duro que he visto, pero yo sabía por qué y por eso le quería. Durante los seis años que estudié la carrera de Farmacia, llegaba a mi casa con las cinco asignaturas con matrícula de honor en junio, y mi padre me decía: "Estoy muy satisfecho, pero era tu obligación, no creas que has hecho más de lo que debías"».

A la pregunta de qué cree que habría hecho su padre si él no hubiera logrado esos resultados académicos, Mayor responde con un consejo a los padres de hoy: «Hubiera dicho: "Éste no es su camino" y hubiera buscado otro. Esto es importante. Y creo que es algo que se debe recomendar a los padres: tenemos que conocer a nuestro hijo y sus posibilidades, no le pidamos nunca que nos dé frutos que no nos puede dar, porque ése es el principio de la frustración de muchos chicos, el pedirles que sigan una vía que no es la suya. Nunca los padres nos debemos meter en ese terreno. Los hijos tienen que poder hacer su propia elección».

Reza un antiguo proverbio: «Más vale un ejemplo que cien sermones». Y así lo cree Ricardo Díez-Hochleitner, quien opina que la mejor manera de enseñar es mediante el ejemplo, y coincide con los otros expertos mencionados en que el amor es «el principal de los valores»: «La primera cosa que hay que saber es que la principal pedagogía, cuando se quiere ayudar a los demás o se quiere enseñar a alguien, es la pedagogía del ejemplo. Es lo esencial. No sirven de nada grandes discursos, grandes declaraciones, si no existe el ejemplo. La educación es más eficaz cuando se ve hacer una cosa con seriedad, con dedicación, con amor, con delicadeza. Eso impacta, cualquiera de nosotros lo sabe, lo que en nuestra vida, lo que de verdad nos ha impactado, lo que nos ha afectado, para bien o para mal, es el ejemplo».

Díez-Hochleitner, padre de siete hijos y abuelo de 21 nietos, añade: «Predicar con el ejemplo supone muchas veces un sacrificio, el de los padres que llegan a casa cansados. Porque, aunque muchos creen que el niño no se da cuenta, no es así. Cuanto más pequeños son, más alerta están a todo y más sensibilidad tienen para percibir las cosas. Les llega cada mensaje: si los rechazas, si los quieres o si estás haciendo un esfuerzo. No esperan de sus padres grandes conocimientos, sino sabiduría de la vida cargada de amor. A mucha gente le da vergüenza hablar de amor, les parece cursi. Pero lo cierto es que cuando los jóvenes y los niños se acercan a un adulto que transmite amor, cariño, que está dispuesto al sacrificio, a dar lo mejor de sí mismo (porque dar lo que sobra no tiene ningún mérito), se vuelcan con esa persona, le escuchan, le hacen caso, le respetan».

Igual que los valores se enseñan en la escuela de forma transversal (es decir, se introducen al hablar de determinados temas de ciencias sociales, biología o lengua), así como mediante el ejemplo, en las familias ocurre lo mismo (es decir, en medio de las comidas, a la hora de recogerlos del colegio, cuando se trata igual a las hijas que a los hijos...). Los valores se desarrollan en el entorno, sea escolar o familiar, pero sobre todo se aprenden viendo actitudes. Si un padre le dice a su hijo que tiene que ser generoso con su hermano o que no le tiene que pegar, debe tener presente que esos valores se perciban en su entorno. Valores como la tolerancia, la paz, la convivencia, el respeto por las opciones de cada uno, desde las familiares y las sexuales hasta las políticas y las religiosas.

A un niño se le puede insistir en que sea bueno, pero, como asegura Díez-Hochleitner, él se da cuenta de todo lo que le rodea. Y, a partir de una edad, de lo que está pasando en el mundo: de si determinadas personas se han embolsado ilegalmente no sé cuántos millones de euros, de si otras se saltan las reglas internacionales o incluso de si unos determinados famosos admiten utilizar la mentira para vender exclusivas a los medios de comunicación y, por supuesto, de si hay alguien detrás que les ofrece hacerlo. Si los niños reciben malos ejemplos, de poco sirve que su maestro les recomiende: «Tenéis que ser o actuar de ésta u otra manera». No se trata de tener con ellos un comportamiento paternalista, sino positivo y sincero. Hoy en día, los adolescentes son conscientes de que no todo el mundo (en sentido amplio) está al lado de la paz. Cuando preguntan, habrá que responderles que valen igual los muertos de un lado que del otro en cualquier guerra. Pero habrá que explicarles también si se hizo o no en un momento determinado lo que había que hacer. Y habrá que dejarles claro cómo se llegó a unas circunstancias determinadas, toda la verdad.

Díez-Hochleitner analiza el fondo de esta situación: «Hay mucha hipocresía en nuestra sociedad, aunque cada vez es más difícil ejercerla, porque estamos todos más expuestos al análisis y a la información. A los jóvenes les están dando en algunas ocasiones una información que yo considero agresiva y excesiva para su proceso de educación, de maduración, para que se pueda formar en ellos una personalidad independiente, para que aprendan a comportarse según sus propios criterios y valores».

En mitad de esta complicada coyuntura, ¿cómo pueden entonces enseñar los padres valores a sus hijos? «Yo creo que debo ser un ejemplo en cuanto a comportamiento, a socialización en mi entorno, para que mis hijos vean que la socialización no está sólo en la escuela, también en la familia, en su entorno. Pero luego la sociedad está compuesta por iguales y por desiguales, y esto es lo que yo les tengo que enseñar», opina la presidenta de la Confederación Española de Asociación de Padres de Alumnos (Ceapa), Maite Pina.

Esta madre de dos hijos dice que «la autonomía personal es el valor más importante que hay que transmitir a los niños». «Que sean autónomos implica muchas cosas, que sean capaces de valerse por ellos mismos, que sean capaces de organizarse su tiempo, que sean capaces de acceder a aquello que les interesa por sus propios medios. Se les puede transmitir pautas de autonomía doméstica y colaborar con instituciones para transmitirles otro tipo de autonomía. Por ejemplo, el hecho de que un chaval se agarre a un libro de texto, lo siga al dedillo, no hace chavales autónomos, porque, al final, se acostumbran a acudir a la página 17 del manual para encontrar allí la solución a sus problemas. Para que los chicos sean autónomos hay que inculcarles valores, curiosidades, para que investiguen, para que en el futuro busquen sus propios recursos para informarse y para apañárselas solos en la vida.»

Hay distintos grados y aspectos de la autonomía, añade Pina. «Algunos no los puede trabajar el colegio y otros no los puede trabajar la familia. El hecho de relacionarse con otros, que tenga una autonomía de relaciones, de poder elegir sus propios amigos, eso se puede trabajar mucho más entre iguales en el colegio. Pero tiene que haber una colaboración entre el centro y la familia porque el problema es cuando determinadas pautas de autonomía las marca la familia sin que le toque, y otras las asume el colegio sin que le toque.»

Manuel de Castro también considera que «lo difícil es educar para ser libre»: «Si tú eres el que siempre le pones un freno, cuando lo tengas que soltar, ¿qué pasa?, o cuando tú no estás delante, ¿qué ocurre? Es un equilibrio muy difícil. Pero, en definitiva, educar significa que las personas crezcan, maduren y sean responsables, pero sin que sea por tus prohibiciones, tus impedimentos. Hay que empezar desde que son pequeñitos y cuando ocurre algo hay que pararse a hablar con ellos, y preguntarles: "¿Por qué has hecho esto?, ¿has considerado este otro aspecto, o ese otro?", de manera que vayan creciendo, razonando».

Se trata, en definitiva, de buscar el término medio y de afrontar las situaciones con los niños, como manifiesta De Castro, desde que son pequeños (algo muy importante), aunque haya que poner mucha voluntad para hacerlo cuando uno está cansado o tiene la mente ocupada por las preocupaciones económicas, laborales o personales. Rousseau escribió en *Emilio* un consejo para transmitir los valores: «¿Queréis inspirar en los jóvenes las buenas costumbres? En lugar de repetirles incesantemente "sed prudentes", despertad en ellos interés para que lo sean; hacedles sentir todo lo que la prudencia vale y lograréis que la amen».

Capítulo IX

La lectura

Wolfgang Amadeus Mozart escribió una carta a su padre en diciembre de 1782 en la que le hablaba de tres conciertos para piano que estaba componiendo (el K 413 en fa mayor, K 414 en la mayor y K 415 en do mayor). El joven músico los comparaba con una buena lectura: «Se encuentran entre lo demasiado difícil y lo excesivamente fácil. Muy brillantes, placenteros al oído, naturalmente sin caer en lo hueco. Aquí y allí, sólo los conocedores hallarán deleite, pero de modo que aun los no entendidos gozarán sin saber por qué».

En la iniciación a la lectura, elegir un libro adecuado es tan importante como la predisposición. El niño o adolescente adquiere el hábito de la lectura cuando se da cuenta de lo que puede descubrir en los libros. ¿Cómo se logra esto? Lo primero, como suele decir Federico Mayor Zaragoza, es «pensar en el niño», en lo que a él le gustaría. Para ello, los padres deben desterrar de su mente el deseo de que sus hijos lean esas obras que a ellos les encantaron, y que lo hagan, además, todos los días. A menudo puede más el deseo de los padres de ver al hijo leyendo (o, por ejemplo, tocando el piano) que el del niño de hacerlo, y se tiende a depositar en los hijos unas obligaciones con las que los progenitores no cumplían a esa misma edad. Quizás recuerden con agrado cómo disfrutaron leyendo *El barón rampante*, de Italo Calvino, pero es probable que no fuera a los 12 años, como creen recordar, sino, como mínimo, a los 16.

Sabemos que la afición a la lectura aporta muchas más cosas que el descubrimiento de historias y mundos lejanos. Ayuda a fomentar la imaginación desde temprana edad, facilita la expresión oral y escrita, contribuye a la formación de los niños como personas, anima a familiarizarse con otras culturas, enseña a apreciar el valor del conocimiento, colabora a mejorar la ortografía... Pero esto no lo sabemos hasta que somos adultos, a partir de un día (pongamos que a los 20 años) en el que tomamos conciencia de que aunque leamos libros y libros, no vamos a tener tiempo de leer ni la tercera parte de lo que nos gustaría en el tiempo que nos quede por delante. De niños, la lectura tiene que entrar a sorbos, con placer. De lo contrario, no despertaría el suficiente interés o, lo que es peor, se vería como una imposición.

El *Diccionario de la lengua española* de la Real Academia define la palabra *hábito* (en la acepción que nos ocupa) de la siguiente manera: «(Del lat. *habitus)*. Modo especial de proceder o conducirse adquirido por la repetición de actos iguales o semejantes, u originado por tendencias instintivas».

Para explicar en qué consiste el hábito de la lectura y cómo encajarlo en la educación, nadie mejor que el ex ministro de Educación Juan Antonio Ortega y Díaz-Ambrona, que presidió en 1998 la comisión para el fomento de las humanidades en la enseñanza: «Los hábitos no se enseñan, se adquieren. Se adquieren por predisposición y por el ejemplo. En lo primero hay algo de inclinación individual y no poco proveniente del entorno. Se adquieren sobre todo por el ejercicio frecuente de la conducta en que el hábito consista. El hábito de la lectura se adquiere leyendo y viendo leer y gozar de la lectura a los demás en un entorno cultural en el que el libro cuenta».

Ortega y Díaz-Ambrona prosigue: «Hoy se lee poco porque estamos inmersos en la cultura de la imagen. El medio predominante es la televisión. Falta, además, para una gran parte de los escolares, el entorno cultural favorable en sus propias familias y brilla por su ausencia el ejemplo. En la escuela, más que obligar a leer, es menester despertar el gusto por la lectura. Un despertar atemperado a la edad, al lugar, al tiempo y a las posibilidades reales de cada uno. Creo, por ello, que el hábito no se adquiere de golpe ante la *alta literatura.* Me inclino a destacar el papel introductorio del libro infantil y juvenil en todas sus formas. Luego vendrá el gusto por los clásicos y todo lo demás. Es claro en este proceso el papel decisivo del profesor. Será impulsor, catalizador y enseñará a descubrir, a desvelar bellezas y estímulos para leer. En todo este proceso, la sociedad de la información (e Internet) puede ser una rémora si se utiliza mal, pero también puede abrir posibilidades insospechadas. El reto es alcanzar esto último y evitar lo primero».

La Comisión de Humanidades que presidió Ortega y Díaz-Ambrona dedicó una buena parte de su reflexión y de sus conclusiones al tema de la lectura en la etapa escolar y, concretamente, en la educación secundaria. Ya en la introducción, después de abordar el «estudio sincrónico de la lengua», se añade: «El conocimiento de los textos producidos a lo largo de la historia amplía las posibilidades de utilización y disfrute de la lengua propia, pues el ser humano, al poder acceder a la lectura de los que le precedieron, se apropia de unos universos simbólicos e intelectuales que le enriquecen». Más adelante se advierte que «una buena parte de los textos que hay que analizar y recrear para el conocimiento de la lengua debe ser literaria», y que «estos textos no sólo habrán de ser creaciones de autores españoles, sino que muchos de ellos pertenecerán a la literatura universal».

Entre las propuestas realizadas por la comisión cabe destacar tres:

—Es imprescindible una promoción de la lectura en todas las áreas (es decir, promoción por todo el equipo docente y no sólo por los profesores de Lengua y Literatura), y ello con una planificación y metodología adecuadas a la edad del alumnado.

—Es necesario ampliar el tiempo que los jóvenes dedican a la lectura a través de un espacio de lectura literaria. Este tiempo específico estará dedicado a la lectura íntegra de obras literarias. Los textos no habrán de ser sólo creaciones de autores españoles, sino que muchos de ellos formarán parte de las obras clásicas de la literatura universal.

—Se recomienda, además, la lectura con fines documentales y la formación de los estudiantes como usuarios de bibliotecas y otros centros de documentación. Las administraciones educativas deberían favorecer la creación de bibliotecas de aula para el trabajo diario y bibliotecas de centro para que los alumnos puedan elegir sus propios itinerarios de lecturas.

Los niños empiezan a leer a los seis años, al iniciar la educación primaria, aunque siempre hay excepciones. Es algo que se debe adaptar al ritmo de desarrollo del niño, debe ser flexible. Antes de los seis años, en la educación infantil, los alumnos podrían iniciarse en la preparación a la lectura. La Ley Orgánica de Ordenación General del Sistema Educativo (LOGSE), de 1990, explica muy claramente en su desarrollo el porqué y el cómo: «El lenguaje va a ser para el niño no sólo un instrumento de comunicación personal y de regulación de la conducta de otros, sino también un instrumento de regulación y planificación de la propia conducta». Y añade: «El acceso a los códigos convencionales, que como criterio general debe realizarse en el primer ciclo de la educación primaria, es un largo proceso en el que las posibilidades evolutivas del niño y la intervención pedagógica del educador han de estar en relación para un tratamiento educativo adecuado». (Anexo 6).

Para que un niño empiece a leer debe tener una buena base. Debe comprender bien los cuentos que le narremos, poder expresarse correctamente, saber dibujar formas básicas y escribir alguna palabra aislada, como algún objeto cotidiano o su nombre. A algunos niños se les puede ayudar a despertar el interés por la lectura leyéndoles historias y, sobre todo, haciéndoles ver todo lo que hay por descubrir en ese libro que su madre o su padre tiene en las manos y que él aún no entiende. «Pero pronto tendrás la suerte de leerlo solo», sería conveniente apuntar. Dicen los expertos en estas cuestiones que, cuando un niño empieza a leer, es importante comprobar si comprende bien el contenido del texto.

El pedagogo Luis Ruiz del Árbol, director del Centro de Actividades Pedagógicas de la Fundación Tomillo, insiste en que leer cuentos a los niños desde que son pequeños es «un elemento definitivo». Se trata de una opinión generalizada. Además, la lectura es algo a lo que, afortunadamente, hoy en día tienen acceso en los países desarrollados todos los padres, sean del nivel cultural que sean. Los pedagogos recomiendan por otra parte que, aunque los padres no lean habitualmente en su casa, sí lo hagan con los niños —por ejemplo, por las noches o los fines de semana—, pues de ese modo los acercarán a la lectura.

También propicia que se acostumbren al libro, que lo vean como una compañía, como un amigo, y se debe intentar que adopten una serie de costumbres similares a las de los adultos. Por ejemplo, si le leemos o lee él por la noche, dejar siempre el libro en su mesilla. Cuando nos vamos de viaje, por corto que sea, coger también su libro. Cada vez que vayamos de librerías, llevarle para que hojee la literatura infantil, aunque no le compremos un libro en todas las salidas para no saturarle. Enseñarle las reseñas de literatura infantil y juvenil que publican los periódicos o revistas, contárselas o que las lea, y preguntarle qué le parece la pinta que tiene ése u otro nuevo libro.

El ejemplo

La actitud positiva de los padres permite lograr que adquieran el hábito de leer. Si ideamos pautas semejantes a las descritas, que encajen con el carácter del niño, entonces tenderemos a crear un diálogo con él sobre el tema y no a ser nosotros los que le impongamos lo que tiene que leer. Ser rígidos en este aspecto puede provocar más aversión que afición. El catedrático universitario y padre de un chico de 16 años Francisco Michavila recuerda la importancia «de la pedagogía del ejemplo y la transmisión apasionada por el amor a la cultura». Y añade: «No se puede renunciar en ningún tiempo y en ninguna circunstancia al valor capital de la educación en libertad. Una educación rígida tendrá siempre unos resultados funestos. Sin embargo, se puede buscar algún progreso en el camino cuesta arriba, que representa el mayor esfuerzo, mediante el establecimiento entre padres e hijos de objetivos educativos compartidos, completados con estímulos materiales o intelectuales relacionados con la consecución de los fines buscados».

«El ejemplo noble hace fáciles los hechos más difíciles», aseguraba Goethe, que tanto significó en el romanticismo literario. Si el ejemplo es esencial en todas las facetas de la educación, en ésta es capital. Un niño que no ve leer a sus padres es difícil que se aficione a la lectura. Al menos en su casa. Otra cosa es que le despierten el interés en el colegio o sus amigos. Por eso tiene tanta importancia el impulso de campañas generalizadas para el fomento de la lectura entre los jóvenes. Los índices de lectura de la población en general son bajos, pero las familias más desfavorecidas necesitan de esas campañas en la televisión, en la prensa, en los colegios..., que abran a sus hijos un mundo de posibilidades en el que a ellos, ya de mayores, les cuesta mucho entrar.

Las cifras reflejan claramente la situación: el 46% de los españoles no lee nunca o casi nunca un libro. El 54% de la población lee libros al menos una vez al trimestre, y los que lo hacen más frecuentemente (al menos una vez a la semana) representan el 36% de los mayores de 14 años. Estos datos los facilita el *Estudio sobre hábitos de lectura y compra de libros* de la Federación de Gremios de Editores. El grupo de población que más lee es el que tiene entre 14 y 24 años (73%), una franja de edad que se corresponde con el periodo de formación de los jóvenes. El nivel cultural también influye en la adquisición de este hábito, según constata el estudio mencionado: los españoles con estudios universitarios leen más del doble (86%) que aquellos con estudios primarios (40%). También comprueba que las mujeres (57%) leen algo más que los hombres (53%), aunque añade que ellos lo hacen durante más horas (Anexo 7).

En cuanto a la lectura en el ámbito juvenil, los estudios que se realizan periódicamente entre los estudiantes de los países de la Organización para la Cooperación y el Desarrollo Económico (OCDE) reflejan varios hechos: hay cada vez más chicas lectoras que chicos, ellas declaran tener más interés por la lectura y dedicarle más horas que ellos. Así, según las conclusiones del informe *Pisa* (realizado entre jóvenes de 15 años de 32 países), el 40% de los alumnos reconoce que sólo lee si está obligado a hacerlo, mientras que este porcentaje desciende al 28% cuando se pregunta a las alumnas. Pero las chicas van aún más allá: el 45% de las encuestadas dice que la lectura es una de sus ocupaciones favoritas. Los chicos se inclinan además por leer periódicos y a través de Internet mientras que las chicas se decantan por las obras de ficción. Es importante destacar que las diferencias entre géneros en esta afición coinciden con los resultados en las pruebas de comprensión de textos: la media es inferior entre los alumnos que entre las alumnas en la puntuación de las pruebas.

El informe *Pisa* define la «comprensión lectora» como la capacidad de comprender textos, evaluar informaciones, construir hipótesis y aprovechar conocimientos. Uno de cada diez de los alumnos consultados en los 32 países alcanza el nivel máximo previsto por los autores del estudio. Sólo un 5% de los estudiantes españoles entra en esa categoria máxima de lectura y comprensión de lo escrito, un porcentaje muy inferior al de países como Australia, Canadá, Finlandia, Nueva Zelanda y Reino Unido, donde el porcentaje de población estudiantil que llega a ese alto nivel de lectura y comprensión se sitúa entre el 15% y el 19%. Por encima del 12% se encuentran Bélgica, Estados Unidos e Irlanda. Este estudio sitúa en un 18% el total de estudiantes con problemas significativos para comprender textos. España se sitúa por debajo de esa media (en un 16%). Las pruebas aplicadas para realizar este informe no trataban de medir la capacidad de leer correctamente o de no cometer faltas de ortografía, sino de averiguar en qué medida los jóvenes son capaces de construir, desarrollar e interpretar el sentido de lo que leen. La conclusión sobre este tema fue que, generalmente, pueden leer en la acepción técnica del término, pero encuentran serias dificultades cuando se trata de utilizar la comprensión de lo escrito como un instrumento para adquirir y mejorar conocimientos y aptitudes en otros terrenos.

Respecto a los medios de que disponen las familias con hijos en edad escolar, los datos arrojan resultados más positivos. Un reciente estudio realizado entre 11.481 padres de centros públicos y privados de toda España por el Instituto Nacional de Calidad y Evaluación (INCE) del Ministerio de Educación sobre *Contexto socio-educativo: Escuela y familia* señala que el 97% de las familias posee libros de apoyo o consulta, el 95%, de lectura, y en el 33% de los hogares la biblioteca familiar contiene más de doscientos títulos. Este informe añade que el 80% de los padres asegura leer algún periódico y el 49% maneja revistas especializadas. El 49% de los hogares dispone además de ordenador, y los padres afirman hacer uso de él como herramienta de apoyo escolar, lo que consideran «imprescindible».

La influencia de la lectura

La influencia del hábito de la lectura en la comprensión de los textos y la expresión oral y escrita es clara. Hay que decir que en los estudios internacionales, como el anteriormente citado, los alumnos españoles se encuentran por debajo de la media de la OCDE en lo que se refiere a la comprensión escrita. Esto conduce a pensar que (si bien ya se hace en algunos centros) sería útil poner en marcha en todos los colegios iniciativas pedagógicas dirigidas a fomentar la expresión y la comprensión oral y escrita: discusiones en grupo de textos de actualidad o del currículo, exposiciones orales en clase (que también pueden ser en grupo, con la ventaja añadida del uso de las nuevas tecnologías), competiciones literarias entre centros o entre cursos (que ya se llevan a cabo en algunos colegios e institutos con resultados excelentes), interpretación de fragmentos de obras teatrales, juegos que promuevan la capacidad de sintetizar un texto breve en una sola frase o conclusión, parodias de oradores romanos...

Es de sobra conocido que la formación inicial del niño se produce en gran parte por imitación. Aprende sobre todo de lo que interactúa, de lo que sucede a su alrededor: se fija en lo que hacen sus padres y en lo que les oye decir. Influyen en él, en general, todas las personas de su entorno. Las campañas para el fomento de la lectura juegan también un papel importante. En España cada vez son más numerosas. Parten de las propias editoriales, de las Administraciones e incluso de los centros. Muchas de esas iniciativas persiguen desarrollar la afición a la lectura entre los más pequeños de un modo lúdico. Walt Disney comentaba: «Prefiero entretener a la gente con la esperanza de que aprendan algo antes que enseñarles con la esperanza de que se entretengan».

Dicen los expertos que no hay que preocuparse si a una edad temprana se logra despertar en los hijos el interés por la lectura pero unos años después decae. Los estudios demuestran que esta afición sufre un cierto abandono (como puede ocurrir con otras) en la etapa de la adolescencia (entre los 14 y 18 años). A estas edades se despierta el interés en los jóvenes por actividades de ocio, como el cine o la música, que empiezan a practicar solos o con sus amigos, lo que acapara buena parte de su tiempo y, sobre todo, de sus intereses. Pero los adolescentes que han sido «niños lectores» vuelven a serlo con mucha facilidad una vez superada la pubertad.

«El declive de la lectura y de los lectores de libros que no sean de texto entre las personas jóvenes se inició hace muchos años. Cada vez es más solidario con el uso que se hace de la televisión», explica el sociólogo Manuel Martín Serrano en el estudio *Lectores y lecturas entre la juventud española*, un análisis basado en los datos obtenidos por este experto en siete investigaciones sobre el uso de los medios de comunicación, los hábitos de lectura de los españoles y las demandas informativas y características generales de los jóvenes. Martín Serrano explica que el *Informe de juventud 2000* señala algunas conclusiones que siguen estando vigentes, como las siguientes:

—Si se ve durante menos tiempo el televisor, es más corriente que se lean más libros.

—Es mucho más previsible que las horas excedentes y vacías se ocupen en ver programas de la televisión que en leer libros.

—Siendo adolescente es más habitual que se esté prendido de las imágenes y desapegado de las letras impresas. Pero en estas edades, se les hace poco caso tanto a la televisión como a los libros. Las amistades tienen preferencia para pasar el rato y lo llenan suficientemente.

—Llegado el momento en el que las obligaciones laborales dejan poco excedente para el ocio, es más probable que se sacrifique el tiempo destinado a la televisión que el ocupado en la lectura.

—Quienes viven solos es más habitual que sean lectores o lectoras asiduos de libros y menos frecuente que sean consumidores o consumidoras desmedidos de televisión.

—Vivir en compañía (sobre todo cuando la convivencia es con la pareja) hace declinar la lectura de libros. Pero aumenta un poco el tiempo dedicado a ver televisión.

Este informe añade que la juventud lee menos libros impresos, menos periódicos y revistas pero que invierte cada vez más tiempo en otras lecturas. «Esa afirmación tan reiterada de que la gente joven no lee y de que sólo lee materiales de ficción es cierta cuando se refiere a los libros y a la prensa. Pero resulta incorrecta cuando se generaliza. Las nuevas tecnologías de reproducción de textos escritos han generado prácticas lectoras más diversas y abundantes de las que suelen estudiarse en las encuestas. El universo de la lectura se ha transformado. Constituye un ámbito en el que se requiere de otra concepción de lo legible y de otra medición de lo leído», añade Martín Serrano.

«El tiempo de lectura incluso puede seguir aumentando en los días laborables. No obstante, es probable que ese incremento beneficie principalmente al texto escrito en la pantalla del ordenador y al texto fotocopiado, y, en menor medida, al texto de imprenta, incluido el libro.» El estudio subraya además que lo que sucede es que la forma de vida actual está cambiando muy rápidamente las funciones que cumple la lectura. «La juventud está haciendo un empleo de la lectura acorde con las nuevas opciones tecnológicas (texto reprografiado, informatizado) y con los nuevos usos que le corresponde desempeñar a los textos escritos en la vida cotidiana y en el desenvolvimiento de las actividades sociales.» Agrega Martín Serrano que las nuevas generaciones están sustituyendo los soportes en los que leen, pero que, en términos absolutos, la «letra impresa» constituye todavía el material más abundantemente leído. Pero al menos una tercera parte del volumen total de lecturas no está impreso, sino fotocopiado o mecanografiado, manuscrito o informatizado. Y, sobre todo, a la lectura de textos de imprenta suele dedicarse, como promedio, menos tiempo que a la lectura en cualquier otro tipo de soporte.

Martín Serrano advierte además que el recurso a la lectura informatizada discrimina a los lectores menos dotados social y culturalmente. «La oportunidad y la capacidad de leer en pantalla (o de acceder a textos reproducidos informáticamente) actualmente es una práctica de las personas más cultas y mejor instaladas en la sociedad. Pero es menos obvio constatar que el uso de los manuscritos —la más vieja opción de lectura— también sea una opción de los lectores con más recursos humanos y materiales.» En realidad, ese resultado muestra, continúa este experto, que una gran parte de la lectura se genera como consecuencia de que se sabe escribir. «Por "saber escribir" hay que entender dos cosas: primero, la capacidad de transcribir, sea la palabra, la lectura o el pensamiento —por cierto, dicha habilidad parece postergada en la enseñanza secundaria—; y segundo, la capacidad de hacer de la escritura la herramienta con la que se trabaja. El carácter no disociable de la promoción de la lectura y de la escritura también se pone de manifiesto en estas observaciones.»

Este informe describe que, en términos generales, están retrocediendo los consumos recreativos que tiene la lectura en beneficio de los mediáticos, relacionados con la actualidad del acontecer. «Esta orientación preferente de la lectura, hacia "la vigilancia de lo que pasa en el entorno" es un hecho social nuevo. Se trata de una lectura con componentes ansiógenos. Querer enterarse de todo lo que sucede en cualquier parte del mundo, y de las menores anécdotas de la vida de los famosos, es una necesidad que sólo ha aparecido en nuestras sociedades. En ellas, el ritmo que adquiere el cambio genera, por lo acelerado, mucha inseguridad. Funcionalmente, la lectura "para la información" (de lo que acontece) es el contrapunto de "la lectura que no viene urgida sino por el afán de cultivarse". Todavía ninguna de ellas ha dominado sobre la otra; pero en todo caso, el déficit social no parece que sea tanto de materiales informativos, como de los formativos.» Y añade otras dos conclusiones: por un lado, que «cada vez se están desarrollando más las lecturas instrumentales, que guardan relación con el trabajo y con el estudio» y, por otro, que «el resto de las actividades cotidianas también reclama la utilización de otros textos muy importantes, al menos para el lector». Este análisis destaca también la evolución de la lectura anual de libros por parte de los jóvenes de 15 a 29 años. En 1985, el 58% de los jóvenes leía al año cinco libros o más, mientras que ya en 2000 este porcentaje bajó al 26%. (Anexo 8).

La literatura infantil

Como para muestra basta un botón, dice el refrán, la mejor manera de contar la importancia que tiene la literatura infantil es mediante la experiencia de un avezado lector. Avezado y ejemplar lo es Juan Antonio Ortega y Díaz-Ambrona, quien explica cómo adquirió el hábito de lectura y lo mucho que significa para él. Comienza diciendo: «Todo lo que se haga para inculcar desde la edad escolar el hábito de la lectura me parece positivo. En la adquisición de ese hábito es importante, pero acaso no determinante ni decisivo, el papel de la escuela, o, en términos más generales, el sistema educativo no universitario. Quiero decir que, además de la escuela, cuenta mucho el ambiente familiar, el ejemplo de la lectura. También la posibilidad o facilidad de acceso a libros u objetos apropiados de lectura».

Cuenta a continuación Ortega y Díaz-Ambrona su enriquecedora experiencia: «La lectura es un hábito, una actividad diaria que ha llenado muchas horas de mi existencia. Lectura en el sentido más amplio de la palabra. Hay "lectores" y "leedores", como escribió Salinas en *El defensor.* Hay lectura de "leedor" para obtener información, para enterarse, para aprender saberes prácticos, incluida la lectura de la guía telefónica para buscar el número de un amigo o el de información de Renfe o de Iberia —la guía es también un libro, como alguien dijo, con muchos protagonistas, pero con poco argumento—. Y hay lectura de "lector", en sentido más estricto y desinteresado, de lectura placentera, de "conversación con los difuntos" —que decía Quevedo—, narrativa, lírica, histórica o científica.»

«Pero en mi caso, la afición a la lectura, que viene de bien lejos, no empezó con lo que entonces se llamaba "clases de lectura", que eran más bien aburridas, ni tampoco la lectura seguida de redacción o resumen, eso que los alemanes llaman *Nacherzählung*, ni siquiera con capítulos del *Quijote*, que yo entonces no entendía ni al 10%; mi inclinación en el campo de la lectura vino apoyada en la imagen a través de los "tebeos". Y eso es así en cuanto nacimiento de una afición. Fueron el *TBO*, el *Pulgarcito* y el *Dumbo* mis introductores de embajadores.»

«Por ahí creo yo que empezó la cosa», prosigue el ex ministro de Educación. «No fueron estos libros edificantes los que me engancharon a la lectura, sino los de aventuras que devoraba en las siestas durante las largas vacaciones de verano, o en los fines de semana o por la tarde durante el curso, o sea, cuando los niños actuales ven dibujos animados en la tele. Y entre esos libros de aventuras, los de Tarzán —un superman *avant la lettre*— sólo que hombre-mono, con toda su parentela animal: Kala, la mona, su madre adoptiva, Numa el león, Sheeta el leopardo y por supuesto su compañera Jane y la simpática Chita; en aquellos libros azul-rojizos, editados en la Argentina, de Edgar Rice Burroughs. Y de ahí a los pequeños libros de aventuras escritos por Emilio Salgari, a tres duros el ejemplar, marrón clarito, editados por Calleja (Don Saturnino) ("Cállate niño" —se decía entonces— "que tienes más cuento que Calleja"), y que por esas 15 pesetas te podían trasladar en un santiamén al golfo de Bengala, al estrecho de Torres o a las islas Célebes con piratas de toda laya y perversos chinos, o, por el mismo precio, al océano Ártico con los cazadores de nutrias, con la amenaza de los osos blancos y el peligro de los icebergs y de los grandes hielos; o pasar del frío al calor del Oriente Medio, o del Extremo, a la India con sus elefantes, fakires, pagodas, tigres a la busca del Kohinoor, o del brazo de Sandokán o en compañía del Corsario Negro. ¿Se podía dar más por menos? Y junto a Salgari —de Italia a Alemania—, los libros rojos de Karl May, editados en la Colección Molino, con sus protagonistas, el gran Winnetou, caudillo de los apaches, hermano de sangre del protagonista Old Shatterhand, o los otros héroes Kara ben Nemsi u Old Surehand.»

Ortega y Díaz-Ambrona acaba su historia recapitulando: «En realidad, había muy pocos libros para niños y adolescentes de autores españoles, o, por lo menos, yo no los recuerdo, fuera de algunos que aparecían en la Colección Escelicer —el tesoro de la juventud— con aquella curiosa clasificación de libros con bandas de distintos colores en la cubierta según fuesen para niños, para niñas y "de aventuras", división de extraño fundamento sólo parangonable al que figuraba en los pasaportes de la época —cuya lógica también me admira— cuando decía que era válido para "Tánger y resto del mundo, excepto Rusia y países satélites", firmado Don Lisardo Álvarez. En todo caso, esas lecturas mías de mis 10, 12 o 13 años eran bien distintas a las de las niñas, coto vedado para chicos, entre las que estaban la Condesa de Segur, las niñas modelo, las historias de Celia y Cuchifritín, Antoñita la Fantástica y las plumas de Elena Fortún y Borita Casas. No sé si todas estas lecturas eran las más apropiadas para mi formación, pero sin duda fueron ellas las que generaron ese hábito de aislamiento, de concentración, de atención y de imaginación que estuvo en el origen de mi afición a la lectura. Porque sobre ese hábito fue viniendo todo lo demás, apoyado, eso sí, desde fuera y desde dentro por el sistema escolar».

La lección principal que se puede inferir de la experiencia narrada es que la literatura infantil y juvenil, sobre todo la de aventuras, está en el prólogo de una sólida afición adulta a la lectura, aunque no se debe olvidar el papel definitivo de la escuela a la hora de encauzar esa afición. La literatura infantil desempeña un importante papel a la hora de acercar a los niños y adolescentes, en los centros y en casa, de forma lúdica, la lengua y la literatura. El niño adoptará los esquemas culturales que luego desarrollará de adulto sobre todo en su casa. La literatura infantil debe empezar a llegar al niño antes de que sea lector, mediante la narración de cuentos o el recitado de poesías por parte de los padres; también a través de un guiñol que represente el cuento, o por medio del resumen de una historia inventada o que hayan leído recientemente en algún libro de adultos. Hay quien dice que la afición a escuchar se les puede despertar a los niños incluso antes. Por ejemplo, con las tradicionales canciones de cuna. En muchos casos funciona. Hay padres con conocimientos musicales que suelen tocar un instrumento a los bebés para calmar su llanto, y les resulta muy efectivo. Es cuestión de probarlo. En algunos centros educativos también se intenta habituar al niño a la literatura infantil. Aparte de proponer este tipo de lecturas, algunos intentan crear zonas infantiles en las bibliotecas escolares del centro. De esto saben mucho las grandes librerías.

Recuerdo que en un reciente viaje a Puerto Rico me llamó la atención que una gran librería, situada en un típico *mol* (o centro comercial) americano, había dedicado la primera planta para la literatura infantil. Nada más aterrizar en el rellano de las escaleras era imposible no quedar hipnotizado por los vivos colores de la moqueta y de las paredes, las enormes figuras de cartón de Harry Potter, los muñecos de Disney, una gran cabeza del gato sonriente de Cheshire de *Alicia en el país de las maravillas*, las sillas y mesas anatómicas de tamaño infantil... El lugar resultaba confortable y estaba lleno de niños que hojeaban o leían libros. Una tienda de este tipo aparece en la película *Tienes un e-mail* (un *remake* del filme clásico *El bazar de las sorpresas*, que rodó Ernst Lubitsch en 1940). En la versión moderna, la actriz Meg Ryan luchaba por mantener a flote una pequeña librería de literatura infantil heredada de su madre. Pero un día abren enfrente una tienda de grandes proporciones (propiedad en la ficción del actor Tom Hanks, al que la librera conoce por *e-mail)* con un apartado de literatura infantil tan atractivo como el que vi en Puerto Rico. Por supuesto, el nuevo establecimiento se acaba *comiendo* al pequeño, aunque en este caso la competencia destructora, como es deducible, no estaba basada en el poco o mucho atractivo de los respectivos comercios sino en los precios. En la versión de Lubitsch *(The shop around the corner*, su título original), una comedia muy recomendable protagonizada por James Stewart y Margaret Sullivan, y basada en una obra teatral de Nicolaus Laszlo, los protagonistas se conocen por correspondencia, en lugar de por Internet, claro está.

En España se pueden encontrar tiendas similares a la librería mencionada de Puerto Rico, como la FNAC de Madrid. Hay padres que llevan a sus hijos a estas librerías los sábados por la tarde para que pasen allí el rato. Que vean a otros niños leyendo es un buen incentivo. Pero lo ideal sería que esta acertada escenificación del espacio de lectura infantil se reprodujera en todos los colegios y en otros lugares públicos no comerciales. Éste es, sin duda, un motivo más para que las Administraciones se animen a mantener abiertos todos los centros escolares los fines de semana como lugares de recreo, de todo tipo de recreo.

En resumen, hay una serie de pautas que pueden ayudar a los padres a estimular en sus hijos la afición por la lectura, y se pueden resumir en las siguientes:

—Empezar lo antes posible.

—Leerles en voz alta desde muy pequeños.

—Despertar su interés con libros ilustrados.

—Establecer una costumbre de lectura con ellos (a una determinada hora, unos días concretos).

—No leerles inicialmente durante un tiempo muy largo (con cinco o diez minutos puede bastar).

—Leerles partes de una historia cada día para despertar su interés por seguir escuchándo la continuación.

—Comentar con ellos la historia leída.

—Dejar que saquen sus propias conclusiones de la historia.

—Hablarles de los autores de los libros, contarles su historia, cuándo y por qué escribieron ese libro.

—Cambiar de libro sin mayor problema si la historia del que se ha empezado no despierta su interés (siempre que no les pase con todos los libros).

—Atender las preguntas de los niños y sus interrupciones con paciencia.

—Comprar el libro con el niño y pactar con él el tiempo de lectura.

—Leer o al menos hojear el libro cuando el niño es pequeño para poder comentarlo con él y para intercambiar opiniones.

Capítulo X

La relación con el colegio

«A mí lo que me interesa del colegio de mis hijos son mis hijos.» Esta afirmación de un padre refleja lo complicada que es por naturaleza la conexión entre los padres y los centros educativos. Sobre esa relación gravitan de forma permanente relevantes factores, como las expectativas que han puesto los padres en sus hijos, la proyección que de ellos pretenden que sean y el sentimiento de culpa que puedan tener por las razones más diversas. Dificultan además la relación con el colegio la escasísima participación de la mayoría de los padres en las actividades del centro (y ahí están las estadísticas para demostrarlo), la falta de costumbre en España de que las familias se involucren en la escuela y la escasez de iniciativas que animen a los padres a comprometerse.

Esta situación lleva a los niños a percibir desde pequeños que se trata de dos mundos que no están conectados entre sí, lo que trae consigo consecuencias nada positivas, especialmente si llega un día (que por regla general llega siempre en el peor momento: a las puertas de la adolescencia) en el que el niño no va bien. Los padres pretenden entonces tomar cartas en el asunto, lo que es harto complicado y poco efectivo si no se hace en común con la escuela.

La formación que se da en los colegios está marcada por sus proyectos educativos, tanto por el decidido en el centro como por el impuesto por las leyes. Entre ellos, cabría destacar como los más modernos los que intentan romper con las diferencias que la inercia de la sociedad marca. Esos modelos educativos se dividen básicamente en dos, según explica el pedagogo Luis Ruiz del Árbol: «Unos analizan la sociedad e intentan generar una movida que rompa las diferencias, y otros aceptan que la sociedad tiene unas diferencias y lo que hacen es reproducir esas diferencias intentando adaptar el sistema a esas capacidades». La educación española ha sido tradicionalmente del primer tipo: integradora. Ha procurado derogar las desigualdades que de origen se generan en los niños, lo que los pedagogos con más visión de futuro consideran que debe ser una función primordial de la Escuela con mayúscula.

Pero, volviendo al tema, ¿por qué en los sistemas educativos los padres no suelen entrar? Ruiz del Árbol lo entiende así: «Porque en la educación se proyectan todas las expectativas de nuestros hijos y sobre nuestros hijos van todas nuestras frustraciones. Por lo tanto, los padres no son nunca objetivos. Yo tengo tres hijos y reconozco que soy absolutamente subjetivo. Como padre, lo que hago es fundamentalmente quererles, apoyarles y exigirles, con todas las contradicciones que los padres tenemos (porque lo que un día nos hace gracia de un hijo, al día siguiente, ni pizca). Todo eso compone un mundo en el que los padres ponen en los niños esperanzas, expectativas y frustraciones y, como quieren lo mejor para ellos, su objetivo es encontrar un lugar donde van a darle a tu hijo lo mejor».

Esto conduce a los padres a buscar un colegio que venda una buena imagen, algo que según Ruiz del Árbol ha conseguido hacer mejor la escuela concertada —la que es privada pero está financiada con fondos públicos y que en más del 90% de los casos es religiosa—. Entre la clase media española (que es la que se puede permitir pagarla) tiene mucho más tirón que los centros públicos. La peor imagen que reciben los padres de estos últimos tiene relación con la apariencia del colegio. Destacan en los patios de muchos centros públicos las canastas de baloncesto y los bancos antiguos, y en sus aulas ocurre lo mismo con los pupitres y los armarios. Esta situación tiene mucho que ver con la falta de inversión y poco con la calidad educativa de esos centros públicos. A menudo hay otros factores detrás del auge de la escuela concertada, según señala este mismo pedagogo: «Hay una gran politización y ciertas instituciones eclesiásticas, no todas, son tremendamente selectivas y aun así se financian con fondos públicos. Pero eso es un problema del Estado, que debe inspeccionar y controlar esos fondos y dónde los deposita».

La cuestión es que los padres proyectan sobre la escuela, sea del tipo que sea, los objetivos que persiguen para sus hijos. Esto hace que la relación con los colegios no sea fácil, especialmente cuando no es costumbre el acercamiento entre estos dos mundos, como ocurre en España y en muchos otros países. El conflicto, más o menos acentuado, o las dificultades de entendimiento entre los padres y el colegio ocurren en la gran mayoría de los centros educativos. Es común que exista una relación tensa, en la que aparecen frecuentemente las críticas y el intento de control. En que se dé esta situación influyen varios factores.

Muchos padres suelen vivir además con culpabilidad la paternidad. Se plantean constantemente si lo estarán haciendo mal. Ese sentimiento de culpa lo puede desencadenar cualquier día un simple grito que ha dado el padre por la mañana al niño cuando llegaban tarde al colegio o la sensación de dedicarle poco tiempo a su hijo. Si además saca malas notas, los padres a menudo se desconciertan. ¿En qué me he equivocado?, se preguntan algunos. Otros optan por responsabilizar al centro o a un profesor determinado.

Dicen los psicólogos que un padre o una madre son capaces de asumir con naturalidad que alguien se entrometa en la vida de su hijo sólo si tienen un nivel de madurez muy alto. A la vista de tal consideración parece bastante lógico que se produzca el conflicto entre esos dos mundos de forma casi siempre inevitable. Con frecuencia se viven en los centros educativos situaciones en las que se percibe que un profesor ejerce más autoridad e influencia sobre un niño o adolescente que su padre o madre. Hay docentes que dicen grandes verdades, que saben guiar y estimular intelectualmente a los alumnos. Y eso es difícil de asumir para algunos padres, que reaccionan mal cuando ocurre. Pero detrás de esa actitud no hay otra cosa sino miedo: el miedo a perder su autoridad como padres ante su hijo, y el miedo a no saber interpretar si esa influencia sobre él es positiva o no.

Cuando un equipo de profesores orienta debidamente las tutorías y empieza a establecer buenas relaciones con los padres, el ambiente del centro mejora de una forma espectacular. Luis Ruiz del Árbol dice que para lograr esto «es muy importante que los colegios entiendan que los padres no son colaboradores directos en igualdad de condiciones, sino que son objeto de su trabajo, que no son objetivos, que son educables y que hay que saber tratarles muy bien, aunque la formación para hacerlo, es decir, para desempeñar una tutoría, no se les da a los maestros».

Pongamos un ejemplo. La maestra simplemente le dice al niño: «Lo has hecho mal». Y éste llega a su casa con unos lagrimones como puños. El padre acude al día siguiente al colegio en busca de una explicación de esa persona que ha hecho llorar a su hijo. Pero los maestros de primaria (que han cursado la diplomatura específica) y profesores de secundaria (que son licenciados en prácticamente cualquier disciplina) no han aprendido en ningún sitio cómo deben actuar ante los padres cuando éstos se presentan agresivos en el colegio ni cómo ganárselos. Ocurre en no pocas ocasiones que reaccionan ante la queja del progenitor culpabilizando al padre, o incluso al niño.

También se dan situaciones en las que el padre o la madre no responden precisamente del modo más adecuado a la crítica de un profesor. Así, ante comentarios como «lo que le pasa a su hija es que se siente desatendida» o «está hasta las narices de vosotros porque dice que os pasáis el día regañándola», la mayoría de los progenitores o bien optan por no volver por el centro o bien deciden increpar a ese profesor delante de su hija. Pero no cabe duda de que son reacciones naturales. Lo raro es el caso del padre que encaja bien estas críticas, el que llega a casa y se sienta a analizar fríamente la situación. ¿Quién es capaz de hacerlo?

En resumen: sería imprescindible explicar a los profesores que estas reacciones de los padres no son extrañas y las formas de afrontarlas. Habría que revisar, en definitiva, la formación inicial y continua del profesorado de primaria y secundaria.

El experto internacional en educación Ricardo Díez-Hochleitner califica de «terrible» el distanciamiento entre padres y escuela. Poniendo por delante las reservas con las que se ha de contemplar el ejemplo de Estados Unidos, Díez-Hochleitner explica que en ese país hay una mayor cultura de acercamiento entre las escuelas y los padres, algo que en España es importante potenciar, lo que no quiere decir que no haya casos concretos en los que sí existe esa cercanía. Pero, desde luego, no es lo común. «En Estados Unidos no es difícil encontrarse con muchos padres que dan por supuesto que tienen que participar en la labor en la escuela. No asisten simplemente a reuniones, a una junta de padres, o van alguna vez a ver al profesor: tienen funciones concretas que tienen que asumir. Cuando sus hijos están en la educación infantil van aunque sea a pintar las paredes, a adornar la clase, con la idea de que sus hijos les vean con los profesores. Esa relación hace que el papel de la escuela sea la prolongación del de la familia.»

Díez-Hochleitner añade que, por ejemplo, «cuando se está impartiendo una materia relacionada con los conocimientos de alguno de los padres de la escuela, ésta le pide que dé una charla, que participe con ellos en la clase o vaya al colegio a comer con los alumnos, de forma que ese padre ejerce el papel de profesor invitado». «También hay clases montadas para que los padres puedan estar de observadores. Tienen una gran ventana con cristales, y los padres pueden observar y escuchar lo que sucede en ellas desde el exterior», añade. El tema de la relación familia-escuela es básico, afirma este experto: «Pero, si no se pone solución, la tendencia es a ir a un divorcio mayor».

La implicación

Un aspecto que provoca el distanciamiento entre padres y escuela es el hecho de que algunos profesores hagan responsables a los padres de la falta de implicación en el proceso educativo de sus hijos. Lo que ocurre es que, muchas veces, cuando se habla del compromiso de los padres en la educación de los hijos, se está pensando en la implicación de los padres en el colegio. Los padres se involucran en la actualidad de forma distinta a la de hace unas décadas, y la clave está en los cambios sociales. A la escuela se le exige hoy en día que cumpla una serie de funciones que antes asumía la sociedad. El modelo de familia ha cambiado, y en las nuevas circunstancias han influido de forma decisiva la incorporación de las mujeres al mundo del trabajo y la reducción de las familias a tres o cuatro miembros (los padres con uno o dos hijos), así como el aumento de otros modelos familiares, como los padres que han tenido hijos de distintas parejas. También es diferente el tipo de vida que llevan las familias en las grandes ciudades y en los pequeños municipios.

En toda esta variedad de situaciones, los padres se preocupan de la educación de sus hijos en la medida que pueden, y muchas veces se ven forzados a delegar más en la escuela y en cuidadores de lo que les gustaría. Pero también este panorama ha hecho que la visión de los padres acerca del cometido de la escuela y de sus responsabilidades se amplíe. ¿Es esto delegar excesivamente en los colegios? En algunos casos es probable que sí, pero la pregunta crucial es si tienen otra alternativa compatible con su horario laboral y sus obligaciones, como son las de llevar una casa (con todo lo que supone), una tarea que, al menos teóricamente ya empiezan a compartir los padres.

El ex director de la Oficina Internacional de Educación de la Unesco Juan Carlos Tedesco opina que es importante resaltar que «los padres están desorientados con respecto a ellos mismos y ése es uno de los principales factores de desorientación con respecto a la educación de los hijos. Los cambios actuales son tan veloces y profundos que obligan a los propios adultos a redefinir de forma permanente su situación. Ellos mismos deben aprender a lo largo de toda su vida y, en esas condiciones, no están muy seguros de qué deben transmitir a sus hijos».

Las reacciones frente a este fenómeno, sin embargo, no son uniformes, añade esta personalidad, que actualmente dirige el Instituto Internacional de Planificación de la Educación en Argentina: «Existen situaciones donde, efectivamente, los padres delegan en las escuelas y en los maestros la responsabilidad de formar a sus hijos. Pero también advertimos la situación inversa. A partir del desarrollo de las nuevas tecnologías y la expansión del individualismo extremo, de la ruptura de la cohesión social, de la expansión del mecanismo de mercado como mecanismo regulador de las relaciones sociales, en algunos países y sectores de la población se está desarrollando la idea según la cual los espacios públicos —y la escuela es uno de ellos— resultan peligrosos y no confiables como lugar de socialización. Algunas familias están demandando la posibilidad de educar ellas mismas en sus casas a sus hijos a través de Internet. De esta forma se establece un mecanismo asocial de formación de las nuevas generaciones, con altos riesgos sobre la posibilidad de aprender a vivir juntos. En Estados Unidos, por ejemplo, esta tendencia de educarse en el hogar ya ha adquirido magnitudes significativas y debemos prestar atención a esta tendencia, insisto, por sus altos riesgos sociales».

Tedesco matiza que, en todo caso, lo cierto es que «estamos ante la necesidad de definir un nuevo pacto entre escuela y familia, que permita articular las necesidades y derechos de los padres con respecto a la educación de sus hijos con las posibilidades y demandas sociales, expresadas a través de las políticas públicas en educación».

La presidenta de la Confederación Española de Asociaciones de Padres de Alumnos (Ceapa), Maite Pina, explica que «los padres se implican pero a la vez están exigiendo a la institución escolar que les eche una mano en determinadas situaciones, pero no sólo es una situación que se da en el nivel de la educación: todas las leyes que se sacan de conciliación de vida familiar y de vida laboral van en este mismo sentido».

El vicepresidente de Ceapa, Ginés Martínez Cerón, puntualiza: «La implicación depende mucho del estamento social al que pertenezca la familia, si es clase media, alta o trabajadora. Esto va también parejo con el nivel cultural y el poder adquisitivo. Si comparamos lo que entendían por implicación nuestros padres o abuelos, por poner 40 o 50 años de diferencia, la implicación no ha variado mucho, no había implicación profunda antes y no hay implicación profunda ahora. Antes, la familia que educaba a los hijos se prolongaba a los abuelos, primos, tíos, algo que sigue sucediendo en algunos pueblos. Evidentemente, esto se ha perdido y la familia ha pasado a ser nuclear: el padre, la madre y uno o dos hijos. Además, antes la mujer no trabajaba, lo que hacía que el niño se incorporara a la escuela cuando era más mayor, a los seis años o más tarde. Cuando llegaba a la escuela ya sabía lo que era la socialización y lo que sobre todo le aportaba el colegio eran los aprendizajes instrumentales».

La educación que recibían los niños estaba basada esencialmente en la posibilidad de adquirir una serie de valores en el entorno familiar. A ello contribuían todos los miembros de la familia (hermanos, abuelos, primos...) e incluso los vecinos del barrio o del pueblo, con los que pasaban horas cada día jugando en la calle. Esta situación se ha cortado de raíz. Ya son pocos los niños que se crían en entornos similares. Ahora, el alumno entra en el colegio a veces a las ocho de la mañana y es habitual que sus padres no puedan recogerle hasta las siete u ocho de la tarde. A esas horas, los padres están cansados y no tienen ganas de pelearse con sus hijos para que estudien, lean o incluso para corregirles actitudes, simplemente para charlar con ellos, aunque sean conscientes de que deben hacerlo. Han de proponérselo, reservar una parte de su reducido tiempo para desempeñarse como educadores, organizarse y, algo muy importante, coordinarse con la escuela.

Otra madre, Paloma de la Riva, que tiene un niño de siete años y una niña de tres, advierte que tampoco hay que idealizar el pasado: «Estoy pensando en mi propia infancia. Mi madre estaba en casa todo el día, yo iba a comer a casa y los domingos mi padre nos llevaba a un museo. Pero no era lo habitual. Los padres castigaban a los niños cuando se desviaban de determinado camino. En cambio, ahora es muy común que salgas un domingo con los niños y encuentres muchos padres haciendo distintas actividades con sus hijos: ir al Museo Reina Sofía, a ver un partido de baloncesto, a montar en bici por el Retiro, a visitar la Feria del Libro, al parque de atracciones o al Burger King». Para ella, lo que sucede en realidad es que «antes se vivía metido en casa y había un seguimiento más exhaustivo de los hijos, pero no había mayor implicación en su educación. La sociedad ha cambiado, venimos de una muy autoritaria, en la que se seguía un camino ya trilladito, y ahora no quieres ser autoritaria con tus hijos. Pero esto supone una serie de riesgos, desde el momento que dejas que tomen determinadas decisiones. Esto se nota especialmente cuando tus hijos empiezan a entrar en la adolescencia. Entonces es cuando te das cuenta de la diferencia entre su educación y la que tú recibiste. Ahora hay más implicación de los padres, aunque otra cosa es que no sea la que debería. Pasamos menos tiempo con los hijos pero hay una mayor atención hacia ellos que antes, hemos perdido cantidad y hemos ganado calidad».

En cualquier caso, hay que tener de nuevo en cuenta las distintas estructuras familiares de nuestros días. En muchas de ellas se ha establecido una clara organización, mientras que en otras no existe normativa alguna ni límites para los hijos, y también están (que no son pocas) las que van improvisando sobre la marcha, lo que a menudo provoca que incurran en contradicciones y provoquen desconcierto en los hijos. De forma improvisada es también común que muchos adultos tiendan a reaccionar con lo que han aprendido de pequeños: la rigidez. Otros se inclinan por lo contrario: el exceso de permisividad para evitar discusiones. Porque la buena negociación con los hijos requiere dedicarles tiempo y pactar previamente con ellos unas pautas de comportamiento.

Asimismo, se aprecia una diferencia en el grado de permisividad entre la generación de padres que fueron educados bajo un sistema más autoritario (los que tienen ahora hijos en la secundaria, la FP o la Universidad) y la de quienes tienen hijos pequeños, que vivió ya el final de su infancia y su adolescencia en plena transición, en un ambiente mucho más tolerante. Paloma de la Riva, que está en la treintena, es un ejemplo:

«Tengo amigas con hijos más mayores que los míos que se han comportado de una forma mucho más permisiva que yo, ellas venían de una situación muy autoritaria. Muchos padres se han ido al otro extremo, y después nos hemos dado cuenta de que esto no podía ser, que tenía que haber límites».

Otro aspecto que ha hecho variar sustancialmente la educación de los niños es la cantidad de horas que pasan con sus cuidadores: sean abuelos, niñeras o vecinos. El problema es que, cuando se trata de cuidadores (personas que se ocupan además de la limpieza de la casa o estudiantes que trabajan como *baby-sitter*) que no son de la familia, el nivel de exigencia de los padres para con ellos en relación con pautas educativas de los hijos es muy bajo y, a veces, es incluso imposible que puedan asumir esta responsabilidad. No se puede pretender que una persona, que en ocasiones es contratada por poco dinero y posee además una cultura escasa, sea la que tutele el aprendizaje de los niños.

Se trata de una situación nueva e irreversible. Como explica Ginés Martínez: «En este momento estamos entre dos fuegos, entre dos tierras, y por eso existe este desconcierto, el quiero y no puedo. Muchos padres dicen que quieren dedicarle más tiempo a sus hijos, pero la realidad es que les resulta imposible».

La delegación

La situación descrita hasta ahora obliga a los padres a encomendar a otras personas en un momento determinado ciertas funciones que antes eran responsabilidad exclusiva de la familia, pero también les está obligando a replantearse las situaciones, a marcarse unos criterios y definir unas condiciones. Así, muchos padres delegan en el colegio parte de sus responsabilidades (al menos de ello se quejan los centros), aunque también los colegios algunas veces piden a las familias más de lo que pueden dar, como explica Maite Pina.

«Creo que hay también un error de la escuela, que ha delegado parte del aprendizaje de los niños en las familias. Hay un ejemplo clarísimo. Cuando a nosotros nos enseñaban a restar, decían 18 menos 5 son 3 menos 2 igual a 1 y me llevo 1. Ahora no se resta así, ahora se resta subiendo no quitando, hay un sistema distinto, entonces el profesor enseña la resta con el proceso inverso a la suma en la clase, y luego manda deberes en casa sin controlar el aprendizaje de lo que ha explicado. Los padres, por mucho que sean universitarios, van a explicarle la resta como la han hecho toda la vida, y se produce una contradicción.»

«Con el tema de la lectura pasa lo mismo», añade la presidenta de Ceapa: «En vez de enseñar a leer en el colegio, de manera que se siga todo el proceso, que la lectura sea un acceso a determinados mensajes, no una cosa fría en sí misma. Al final lo que muchas veces se hace es que, si el niño ya sabe cuatro letras para irse manejando, se le manda leer en su casa. Entonces el papá es el que le dice: "La eme con la a, ma, y la pe con la e, pe"». José Antonio López Tinaquero, padre de una niña de ocho años, dice que «los padres que intentan ayudar a un hijo con los deberes se pasan la mitad del tiempo intentando entender bien la tarea para no entrar en contradicción con lo que le ha dicho su profesor. A menudo te acaba diciendo: "No, así no, es que mi *profe* me ha dicho que se hace así". Y tú le dices: "Si es que estamos diciendo lo mismo"».

Lo que ocurre es que la sociedad ha cambiado y no parece que estén claras las funciones que tiene que asumir cada cual (los padres y la escuela). Hay funciones que los padres pueden estar delegando en la escuela, como el hecho de cuidarles fuera del horario de clase. Quieren que los niños salgan más tarde, que haya actividades extraescolares, que los recojan por la mañana. Le piden a la escuela que cumpla una especie de guarda y custodia de sus hijos, sobre todo cuando son pequeños. Pero, por otro lado, la escuela ha delegado en las familias parte de sus atribuciones, como la del control del aprendizaje. Esto último quizás siempre ha existido, aunque hace décadas los profesores confiaban menos en que la familia tuviera la capacidad de poder ayudar a los chavales.

La tarea del padre no consiste en enseñar, de eso quienes saben son los profesores, sino tutelar el estudio y ayudar al niño en el repaso de lo ya explicado. Cuando los niños llegan a casa con el deber de aprenderse una lección porque al profesor no le ha dado tiempo de terminarla en la clase es que algo no funciona. O los contenidos son demasiado extensos como para desarrollarlos a lo largo del curso, o éste es demasiado corto. Se impone la necesidad de buscar posibles soluciones. Entre ellas es imprescindible repensar el papel del profesor (la pedagogía que aplica, sus obligaciones y sus derechos).

Una de las grandes barreras de los centros en este sentido es la dificultad de impartir una enseñanza individualizada. Otra es lo que les cuesta a muchos profesores abordar todos los contenidos de la asignatura estipulados para ese curso. Cuando un profesor explica un concepto, muchas veces hay niños que no lo han entendido bien y el profesor no se da cuenta —en ocasiones, porque no da abasto, o porque el propio niño no lo dice o también porque el profesor no se asegura de que sea así—. Respecto a los contenidos, puede suceder que el docente necesite más tiempo del que dispone si quiere cerciorarse de que les quedan claros a los alumnos. Lo cierto es que la extensión del temario constituye un serio problema.

La elección

Una de las cuestiones que preocupa a los padres, especialmente al inicio de la escolarización y en los casos en que el niño va mal, es la elección del colegio. Las razones que llevan a los padres a elegir un colegio determinado son muy diversas. El catedrático de Psicología Evolutiva y de la Educación en la Universidad de Barcelona César Coll establece una clasificación: «Las hay de tipo pragmático o funcional (la proximidad a la residencia familiar o al lugar de trabajo, o la posibilidad de llevar a todos los hijos al mismo colegio), de tipo ideológico (el carácter confesional o laico de los centros, el ideario del centro o las expectativas proyectadas sobre el futuro académico y profesional de los hijos), de tipo pedagógico (el grado de acuerdo con las opciones pedagógicas y didácticas), de oferta educativa (las enseñanzas que ofrecen) o de tipo económico (lo que pueden o están dispuestos a pagar por la educación de sus hijos), por citar sólo las más evidentes». Esto explica que la decisión por un determinado centro sea una de las más difíciles de tomar para los padres y no se deba a un solo motivo. Coll señala que los padres «suelen tener la impresión, y no se equivocan, de que se encuentran ante una decisión trascendental y, cuando se habla con ellos de este tema, es fácil comprobar que a menudo les queda la duda de si han elegido correctamente, a veces incluso mucho tiempo después de haber hecho la elección».

Una reciente encuesta de la Federación Española de Religiosos de la Enseñanza (FERE) revela que la mayoría de los padres que se decanta por un centro religioso católico (generalmente concertado, es decir, financiado con fondos públicos) para sus hijos en España no lo hace principalmente por el ideario. Este aspecto aparece en cuarto lugar en la lista de prioridades —por delante está el mayor grado de exigencia y de control sobre los niños—. En España, más del 80% de los centros privados concertados pertenecen a órdenes religiosas católicas.

Entre todas las razones que motivan la elección de un tipo de centro u otro ocupan un lugar destacado las relacionadas con el entorno que rodea al centro, el tipo de alumnos y «la proyección social» —son palabras de Coll— que aspiran a dar a sus hijos y, a través de ellos, a sí mismos. Este experto explica que este factor se ha visto potenciado en los últimos años como consecuencia del incremento de alumnos inmigrantes en una situación económica y social precaria, así como del alumnado con mayores dificultades para aprender y con mayor rechazo ante la educación escolar, en determinados centros educativos, en su inmensa mayoría centros públicos. César Coll declara contundente: «Resulta fácil responsabilizar a los padres de provocar esta situación cuando, movidos por su deseo de mejorar la proyección social de sus hijos y de sí mismos, eligen para ellos unos centros determinados en función del perfil y de la composición social del alumnado que asiste a dichos centros. Esta acusación, sin embargo, peca de fariseísmo y yerra en el análisis de las causas que están en el origen de la concentración del alumnado y de sus consecuencias. No son los padres los que crean esta situación con su elección de los centros a los que van a llevar a sus hijos. Es más bien su elección la que está condicionada y determinada por unas políticas que en la práctica restringen el ejercicio del principio de libertad de elección del centro educativo a una decisión que gira muchas veces únicamente en torno al perfil y la composición social del alumnado».

El entorno que se cree el niño en el centro va a influir también en otros aspectos. El catedrático de Psicología de la Educación Álvaro Marchesi afirma que «los padres tienen que ser conscientes de que la elección del centro no es sólo una elección educativa sino también social, con todas sus repercusiones: el regalo y el aprendizaje, en principio, no deben ir unidos. Y si no hay más remedio que relacionarlo, siempre es mejor relacionar el regalo con el esfuerzo que con los resultados. Pero hay que enseñar a los hijos el valor de las cosas y hacerles ver que hay cosas que no se pueden tener, se esfuercen o no, porque cuestan mucho dinero y a su edad o, como niño, no puede tener acceso a ellas. Estos aspectos tienen mucho que ver con la elección del centro porque los padres tienen que darse cuenta de que, según el colegio que elijan, los alumnos de ese centro tienen unas cosas u otras, y van a tener como padre determinadas exigencias por parte de los niños, de nivel económico o social. Si los chicos de ese centro tienen un alto nivel económico, por ejemplo, los niños van a tener muchas cosas y entonces sus hijos están condicionados por ello».

La participación

Un reciente estudio realizado por el Instituto Nacional de Calidad y Evaluación (INCE) del Ministerio de Educación sobre *Contexto socio-educativo: Escuela y familia* entre 11.481 padres de niños que asisten tanto a centros públicos como privados de toda España señala que la participación de los padres en las actividades del centro representa alrededor de un 12%. Sólo un 5% dice desconocer la existencia de las asociaciones de padres y un 35% declara no participar en ellas, mientras que el 52% sólo paga las cuotas y el 14% afirma participar activamente. Este estudio concluye que las asociaciones de padres «tienen presencia institucional, pero la participación y el compromiso de los padres en las mismas son escasos». El informe refleja además que el 58% dice desconocer el funcionamiento del consejo escolar (el organismo de participación de los centros públicos y concertados, en el que hay una representación de los padres, aparte de los profesores, la dirección del centro y los alumnos) y un 40% ni siquiera sabe que existe.

Según este mismo estudio, el 82% de los padres manifiesta que su relación más directa y participativa con el centro es a través de la entrevista con el tutor, relación que a su vez evalúan muy efectiva. Sólo en el 16% de los casos este contacto es telefónico. Por otra parte, la información emitida por los centros educativos la evalúan muy satisfactoria y suficiente la mayor parte de los encuestados. Un dato que conviene destacar es que el 90% de los padres dice no haber entrado en conflicto alguno con profesores u otros profesionales del centro y sólo el 7% desea cambiar a su hijo de colegio. Este informe concluye: «La familia española confía en la escuela y en sus profesionales. A la vez que les preocupa que sus hijos no tengan conflictos en esta institución, la gestión de la misma les resulta ajena, pues confían y delegan tal competencia en los profesores».

La participación en las reuniones de las asociaciones de padres de los colegios, como se ve en estos resultados es bajísima, pero además desciende según el niño va creciendo. La mayoría de los padres no suelen ir al colegio ni llamar al profesor si no «pasa nada». Es decir, si no empeoran sus notas o ha habido quejas por su conducta o rendimiento en clase. A su vez, la mayoría de los profesores están acostumbrados a que los padres no vayan por el centro *motu proprio* si no existe algún problema.

«Mi hijo tiene una media de notable, llamé un día para preguntar a su profesora por él y zanjó el tema diciéndome que mi hijo no tiene ningún problema académico. Pero es que yo no quería hablar sólo de lo académico. Esa profesora pasa muchas más horas que yo con mi hijo. ¿No es lo lógico que hable con ella de vez en cuando?» Carmen es empresaria y no entiende la situación. A su juicio, la culpa está repartida entre todos: centros, profesores, padres y Administración.

En un mundo laboral en el que muchos padres acostumbran a contactar por correo electrónico cada día con sus clientes, compañeros de trabajo y amigos es difícil entender por qué no lo hacen con los profesores de sus hijos. Hay correos electrónicos gratuitos, si se tiene una conexión a Internet. La informatización de los colegios debería dar prioridad, entre otras cosas, a proporcionar una formación mínima de usuario (como en las empresas y en los organismos públicos) y una cuenta de correo electrónico a cada docente (algo que sin duda ocurrirá en el futuro, aunque debería haber ocurrido ya). No se trata de crear un permanente intercambio de correos con todos los profesores, sino con el tutor, y, cuando venga al caso, con el orientador del centro (una figura que muchos padres desconocen, pero que existe). El papel del tutor en los colegios es muy importante, como máximo responsable de un grupo de alumnos y el que lleva un seguimiento general.

A modo de ejemplo, en algunos centros educativos en Francia existe la tradición de convocar a los padres un día al año para hablar con todos los profesores de sus hijos. «Tienes que prever de antemano que esto te va a ocupar una tarde, pero se trata de una tarde al año. Ese día hacemos colas, que a veces duran horas, para hablar con cada profesor de nuestros hijos. En esa conversación nos ponen al día de los problemas o de lo que tenemos que reforzar en el niño en cada asignatura.» La madre que explica esto es profesora y tiene dos hijas. Una de ellas está acabando la carrera de

Periodismo en Toulouse y otra cursa secundaria en un colegio público en Francia. No es que ésta sea la solución, pero sirve para comprobar que hay muchas iniciativas posibles. Si esta relación entre el centro y los padres es estrecha, ayudará mucho a los padres en el seguimiento de las tareas de su hijo día a día.

Otra madre cuenta, impotente, cómo ve la situación: «Nos cita el tutor de mi hijo. Pero sólo puede los jueves a las 11 de la mañana. Esto a mí me supone tener que pedir permiso en el trabajo, igual que a mi marido. Tenemos entonces que buscar un martes en el que los dos podamos coincidir, pedir permiso los dos para ir al colegio. Pero, ¿está contemplada esta posibilidad en las empresas? No. Tú puedes cogerte una mañana para ir al médico pero en la mayoría de los trabajos no puedes cogerla para ir a hablar con el tutor de tu hijo. ¿Por qué? Y, por otro lado, ¿no puede adaptar el colegio el horario de los tutores de entrevistas con los padres, que sea más abierto?».

La educación no está conectada con la sociedad, y es necesario conectarla de alguna manera. Igual que se ponen en marcha medidas para acercar el mundo de la empresa a las universidades, también serían necesarias otras para acercar el de los padres, de las empresas y de los adultos, en general (los ancianos, las ONG o las organizaciones de consumidores) a las escuelas. El intercambio de experiencias (que en algunos centros, pocos, se realiza de forma ejemplar) entre la sociedad en general es imprescindible. ¿Cuántos políticos, escritores, matemáticos, fresadores, químicos, secretarias, sociólogos, amas de casa o bibliotecarios acuden a las escuelas a contar en qué consiste su trabajo o a participar en actividades conjuntas? Muchos de estos profesionales son, además, padres. ¿Debe partir la iniciativa de ellos? ¿Por qué no? Pero también de las escuelas.

De regreso a la situación actual, la realidad es que se dan casos de este tipo de forma excepcional. Por ejemplo, los proyectos que se empiezan a poner en marcha para abrir las escuelas 24 horas, los 365 días del año. Pero de poco servirán si durante el horario escolar ese edificio abierto es para niños y profesores y, fuera de él, para adultos. Sin conexión. Haría falta que las Administraciones emplearan ciertos recursos para fomentar ese acercamiento y que las empresas facilitaran el contacto de los padres con el mundo escolar, que ha ayudado a que seamos lo que somos.

Si se consigue una buena relación entre las familias y el centro, el reconocimiento puede llegar a ser mutuo. Si el colegio respeta a los alumnos y vela por ellos, éstos se sienten responsables de que el colegio vaya bien y se identifican con él.

Capítulo XI

Una crisis mundial

Imaginemos a una niña de 13 años en España. Seguramente tenga un teléfono móvil y a ella le parezca imprescindible. Ahora, a otra de la misma edad, por ejemplo, en la India. Seguramente no tenga un móvil, ni ninguna otra cosa. Pongamos que, como mínimo, sólo tres de cada 100 niñas y niños del mundo tienen un móvil. Los que lo poseen, ¿lo aprecian? Y, sobre todo, ¿saben la suerte que tienen? El ex secretario general de la Unesco Federico Mayor Zaragoza propone este ejercicio, que es más bien una prueba de conciencia. Habla de las desigualdades entre un lado y otro del mundo y de las excesivas igualdades que crecen en uno de ellos, el nuestro. El momento de crisis, de replanteamientos, por el que pasa la educación española es similar en los países más desarrollados. Los menos desarrollados aún luchan por la alfabetización. Las diferencias, en pleno siglo XXI, son terribles. Los expertos internacionales en educación lo ven claro: uno de los problemas más graves de la educación en los países ricos es el distanciamiento entre los padres y las escuelas, su falta de entendimiento; otro, que cada vez se piensa menos en los niños y más en los mayores.

«Un proverbio francés dice que cuando analizas tu situación, te desanimas, pero cuando la compararas con otra exclamas, ¡qué maravilla!» Esto es lo que tenemos que hacer, explica Mayor Zaragoza. «A la niña de 13 años que tiene su móvil tenemos que decirle que tiene que estar muy contenta, por un lado, para que se dé cuenta de que tiene cosas que las demás niñas no poseen y, por otro, para que tenga el deseo de repartir. Porque, si no, un día alguna de esas 97 niñas que no tienen nada dirá: "Ya está bien de estar siempre esperando que me repartan, yo voy a tomar lo que considero que es mío". Esto no sucede con frecuencia porque uno de los grandes milagros que existe es el de la paciencia de la gente. La capacidad de aguante de la mayor parte de la humanidad es enorme, y sobre todo de las mujeres. Ves mujeres que se levantan con el alba, que no tienen nada, que van contentas a buscar un poco de leña, en lugar de decir: "¡Ya está bien, mi vida no es más que una y me la están fastidiando!". Pero es cierto que, a base de estar viviendo en estas condiciones, hay quien reacciona y dice: "Ya no espero más, me han engañado, no cumplen sus promesas...". Porque a mucha gente de los países pobres no les hemos dado lo que les habíamos prometido: el 0,7%, inversiones, educación para todos y garantizar su salud. En lugar de esto, lo que hacemos es tomar sus peces, su petróleo. Y la mayor parte aguanta.»

Las pautas para abordar esta situación desde el punto de vista educativo existen (por ejemplo, la cumbre *Educación 2000*, organizada por Global Alliance For Transforming Education, en Vermont, Estados Unidos, acordó unas bases internacionales para la educación del futuro), pero los expertos insisten en que no se pueden aplicar sólo en España, tiene que hacerse en un ámbito global, porque no se solucionará nada de cara al futuro si no se educan niños pluriculturales y plurilingües. La encuesta *Jóvenes españoles 1999*, realizada entre 3.850 chicos de 15 a 24 años y publicada por la Fundación Santa María, concluía que los españoles de esas edades se sentían menos europeos que cinco años antes, aunque destacaba su nivel de aceptación de los inmigrantes, que está por encima de la media europea.

El aprendizaje de lenguas distintas tiene, aparte de la función del entendimiento, el objetivo de acercar las culturas. Se trata de transmitir a los hijos la idea de que el mundo es redondo, que unas partes llevan a otras y que son habitantes del planeta, no sólo de su localidad, comunidad autónoma o país. Los expertos internacionales en estas cuestiones insisten en este aspecto porque opinan que si hay una dirección que puede llevar a solucionar los problemas de desigualdad en un futuro es ésta. Si los niños son buenos ciudadanos del mundo serán buenos ciudadanos dentro de su comunidad. Pero si sólo son buenos ciudadanos de su comunidad serán un desastre como buenos ciudadanos del mundo, porque les faltará un punto de referencia más amplio.

Mayor Zaragoza ejemplifica este tema como sigue: «Hace un tiempo me pidieron que diera una conferencia sobre "La educación de los niños en Europa", y acepté, pero les dije que le había cambiado un poco el final del título, sería sobre "La educación de los niños en el mundo". Porque no hay educación de niños europeos. Los niños europeos serán maleducados si no tienen en su cabeza desde que son jóvenes el mundo en su conjunto. Si no saben la gran cantidad de millones de niños que hay, y que todos ellos tendrán que compartir el mundo mejor de lo que lo hemos hecho nosotros. Hay que despertarles el amor, la generosidad, el desprendimiento, la ilusión».

Y continúa con una bonita anécdota. «Unos años atrás presidí una reunión sobre los objetivos científicos y sociales en Madras (India), en el golfo de Bengala. Un día, me fui muy temprano a dar una vuelta. Estaba saliendo el sol y vi en la playa un grupo de niños que jugaban entre ellos. No tenían nada, pero se reían, no paraban de reír. Me acerqué y les pregunté que por qué se reían. Y me señalaron el amanecer. Los niños de la India reían porque tenían otro día por delante. En esas situaciones te acuerdas de nuestros niños, los de los países más desarrollados, que tienen una gran cantidad de artificios, no inventan la manera de divertirse, y lleva al aislamiento de los niños en muchos casos. Nosotros tenemos niños que no ven salir el sol, las estrellas, ni muchas otras cosas porque les hemos sumergido en la civilización occidental, en la obra de la mano del hombre, y la naturaleza les parece poco. Pero todo eso son elementos también educativos.»

Las desigualdades

Mientras los países más desarrollados persiguen mejorar la calidad de vida y adaptarse a las nuevas situaciones, los que menos tienen luchan en el mejor de los casos por lograr que los alumnos permanezcan escolarizados hasta los 12 o 14 años y, en el peor, sencillamente que se escolaricen. Para saber de lo que estamos hablando hay que conocer la situación. Así la describe Unicef: «En el mundo hay 2.100 millones de niños y niñas, que representan un 36% de la población. Todos los años nacen alrededor de 132 millones de niños. En todo el planeta, uno de cada cuatro niños vive en una situación de pobreza extrema, en el seno de familias que ganan menos de un dólar al día. En los países en desarrollo, uno de cada tres niños y niñas vive en una situación de extrema pobreza. Uno de cada 12 niños y niñas muere antes de cumplir cinco años, sobre todo debido a causas que se pueden evitar».

Además, de cada 100 niños y niñas que nacieron en 2000, sólo siete vinieron al mundo en los países industrializados (Europa occidental, Estados Unidos, Canadá, Israel, Japón, Australia, Nueva Zelanda); 53 nacieron en Asia (19 en la India, 15 en China); 19 en África subsahariana; nueve en América Latina y el Caribe; siete en Oriente Medio y África septentrional, y cinco en Europa oriental, CEI (Comunidad de Estados Independientes) y los Estados bálticos. Si las condiciones sociales permanecen como hasta ahora, el destino de estos niños será probablemente el siguiente: no se registrarán los nacimientos de 40 niños y niñas, que carecerán de existencia oficial o del reconocimiento de su nacionalidad; 17 nunca irán a la escuela y, de ellos, nueve serán niñas. Alrededor de 25 de cada 100 alumnos que comiencen el primer curso de la educación primaria, o su equivalente, nunca llegarán ni siquiera al quinto curso.

El informe sobre el *Estado mundial de la infancia 2003*, de Unicef, recuerda que hace tiempo que las organizaciones para el desarrollo «están de acuerdo en que es rentable invertir en la educación de las niñas y en la urgente necesidad de hacer esa inversión, sobre todo en el África subsahariana y en el sur de Asia, donde hay más de 50 millones de niñas en edad escolar primaria que no asisten a la escuela».

El director del programa de posgrado en políticas educativas de la Universidad de Harvard y uno de los grandes expertos internacionales en equidad educativa, Fernando Reimers, explica la situación en América Latina: «Hay una gran diversidad de situaciones entre países y dentro de cada país, pero el mayor problema general en

América Latina es la desigualdad. Es más importante en esta región el lograr justicia social, y no sólo en materia educativa, también en el plano político y económico. Las estrategias para luchar contra esa desigualdad son básicamente la acción afirmativa (el dar más a los que tienen menos) y la discriminación positiva. Además, no basta con enseñar a la gente a leer y escribir, hay que enseñarles cómo organizarse y cambiar la sociedad».

Según Fernando Reimers, los principales objetivos se centran en «lograr que todos los chicos aprendan lo mismo, con independencia de si van a una escuela urbana, rural o indígena y la igualdad de oportunidades aunque no la haya de resultados, es decir, que las oportunidades en la vida sean las mismas como resultado del sistema educativo, que cada niño pueda llegar tan lejos como su capacidad le permita» y explica que la conquista de América Latina en los últimos años ha consistido en «que todos los niños empiecen la educación primaria, que tengan las bases de la educación y además en una red pública».

Reimers destaca luego el importante papel que desempeñan los profesores en la consecución de estos objetivos: «La educación en América Latina transcurre entre las enormes esperanzas que en los maestros tienen los estudiantes y lo poco que en la escuela se aprende. Revertir esta situación requerirá desarrollar las competencias pedagógicas de los docentes pues esta ahí la clave para permitir a las chicas y a los chicos aprender en profundidad contenidos significativos que les permitan cambiar sus opciones en la vida, concentrándose particularmente en aquellos estudiantes cuyos padres tienen más bajos niveles educativos. Concentrarse en la buena enseñanza, sin embargo, requerirá reemplazar un ideario equivocado que ha dominado entre quienes toman decisiones de política educativa, así como entre las agencias de desarrollo y cooperación internacional». Porque los jóvenes latinoamericanos y sus familias depositan enormes esperanzas en la escuela y en sus maestros, pero también los adultos, como asegura este experto: «Un estudio de opinión pública llevado a cabo en 1998 demuestra que la institución en la que más confianza tienen los mexicanos, así como los chilenos, son las escuelas. Así, al preguntarles cuánta confianza tenían en las escuelas, un 64% de los mexicanos encuestados dijeron que mucha; en comparación, un 89% de los chilenos dijeron tener mucha confianza en las escuelas. Esto contrasta con la menor confianza en otras instituciones: el porcentaje de personas que confían en los partidos políticos es del 30% en México y del 27% en Chile; en el Gobierno es del 30% en México y del 51% en Chile; en el Congreso, del 28% en México y del 43% en Chile».

Los retos

Pero en la crisis actual de la educación hay muchos elementos comunes a todos los países. El ex director de la Oficina Internacional de Educación de la Unesco Juan Carlos Tedesco expone la situación: «La pérdida de autoridad y la desorientación de los padres frente a la educación de sus hijos es un fenómeno complejo. Ya hace casi tres décadas, Margaret Mead sostuvo que a lo largo de la historia se podían distinguir tres modelos de transmisión cultural. El *prefigurativo* (donde los que saben son los adultos), el *co-figurativo* (donde jóvenes y adultos aprenden al mismo tiempo) y el *postfigurativo* —vigente según ella en la sociedad actual— (donde los que saben son los jóvenes y no los adultos). En esa visión de los años setenta del siglo pasado, el protagonismo de los jóvenes y su ruptura con la cultura de los adultos se basaba fundamentalmente en dimensiones ideológicas. Los jóvenes eran portadores de ideales de transformación social, de libertad, de respeto a los derechos humanos, a la justicia y al medio ambiente».

Tedesco prosigue: «En la actualidad, en cambio, la separación entre jóvenes y adultos ha cambiado de sentido. El desarrollo de las nuevas tecnologías ha ido acompañado de la crisis del socialismo real, la crisis del Estado-Nación, la desregulación de las actividades económicas y la expansión del individualismo. El conjunto de estos cambios, entre los cuales sin duda alguna las nuevas tecnologías juegan un papel fundamental, a provocado lo que algunos autores llaman una *crisis de transmisión*. Transmitir los aspectos básicos de una cultura es fundamental para su supervivencia. Dicha transmisión operaba en el pasado a través de las instituciones socializadoras básicas, como la familia y la escuela. Los padres y los maestros no tenían dudas acerca de los contenidos que transmitían y de la legitimidad de su autoridad para transmitirlos. En la sociedad actual, en cambio, confluyen varias tendencias que erosionan profundamente la autoridad de los padres y los maestros para transmitir el patrimonio cultural».

Esta personalidad, que actualmente dirige el Instituto Internacional de Planificación de la Educación en Argentina, expone además la influencia que ha tenido la entrada de la democracia en los ámbitos de la vida privada: «La posibilidad de elegir se ha expandido a todos los órdenes del "estilo de vida". Los padres no pretenden transmitir modelos acabados sino —en el mejor de los casos— pretenden transmitir la capacidad de elegir, de permitir a sus hijos la definición de su propio estilo de vida. Por otro lado, la renovación de los conocimientos es tan acelerada que ni padres ni maestros pueden presentarse como las autoridades legítimas en esos campos, porque ellos también deben estar aprendiendo al mismo tiempo que sus hijos».

Por último, expone Tedesco que la cultura se ha transformado en una parte importante de la producción industrial: «La transmisión se transforma en una especie de mercado de saberes que cada uno puede elegir libremente. Recordemos, en este sentido, que en el capitalismo industrial, la producción y distribución de cultura se basaba en instituciones que funcionaban sobre la base de la lógica de la oferta. La escuela —y también la televisión— estaban basadas en ofrecer a todos un mismo producto y esta oferta tenía, por eso, un fuerte poder homogeneizador. Los nuevos mecanismos culturales, en cambio, se basan mucho más en la lógica de la demanda. Internet, la televisión por cable y la escuela basada en los mecanismos de responder a las demandas del "alumno-cliente" invierten el esquema existente en el capitalismo industrial y, en ese sentido, más que homogeneizar tienden a fragmentar, a diferenciar, a separar. Creo que la pérdida de autoridad de los padres debe ser vista en el contexto de esta situación compleja».

Este especialista deja claro cuáles son los nuevos retos: «El gran problema de la educación es admitir que no tiene que transmitir información, conocimientos, valores ya hechos, sino las competencias, las capacidades que permiten producir conocimiento, valores e información. Por eso hoy en día, tal y como refleja el informe sobre la educación para el siglo XXI de la Unesco, la educación tiene que promover el aprender a aprender».

Un fenómeno nuevo que afecta tanto a la estructura de los sistemas educativos como a la de las familias es la urbanización del mundo. El 70% de la población europea vive ya en núcleos urbanos y esta tendencia va en aumento. El ex presidente del Club de Roma Ricardo Díez-Hochleitner explica el alcance de este cambio: «Se está urbanizando el mundo, lo rural está desapareciendo. Y lo rural hacía que el proceso educativo fuera muy distinto. Las relaciones familiares en el mundo rural eran intensas y los niños tenían mucho más contacto con la naturaleza, mientras que en el mundo actual vivimos cada vez más de espaldas a ella». Díez Hochleitner explica (con el *sombrero* del Club de Roma puesto, como él dice) que esa educación de respeto a la naturaleza tiene mucho que ver con la educación en lo universal, en lo global, de un desarrollo sostenido. «Se trata de educar para construir un futuro posible y viable, pero también en el respeto a las cosas, los objetos y los productos, un respeto que no existe hoy en día. Hay una cultura del consumo excesivo, de derroche, y con ello estamos haciendo inviable que otros vivan en el mínimo bienestar al que debe tener derecho toda persona. El derroche de unos se produce a costa de otros y, desde luego, de futuras generaciones. Es un tema importantísimo.»

En la enumeración de los serios problemas por los que pasa el proceso educativo en los países desarrollados, mencionaba antes que cada vez se piensa menos en los niños. ¿Qué quiere decir esto? Que en lo que se refiere a educación se habla poco de aprendizaje y mucho de enseñanza. Se habla de los padres, de lo difícil que lo tienen y lo desorientados que están; de los profesores, la falta de apoyo continuo y de preparación. Cierto. Pero se trata de hacer una reflexión dando la vuelta a la tortilla. En la educación, los únicos que tienen una, y una sola, oportunidad son los niños. Su formación dura varios años (la obligatoria en España hasta los 16 años) y lo que no hayan aprendido en el transcurso de los mismos, o lo que hayan aprendido mal, ahí se queda.

Decía Rousseau: «La infancia tiene sus propias maneras de ver, pensar y sentir; nada hay más insensato que pretender sustituirlas por las nuestras». A los adultos hay que aceptarlos tal y como son, sólo se puede enseñar a los niños y adolescentes. Aunque el afán de aprender tenga sin duda que durar toda la vida, no hay que olvidar que hay un periodo en el que los padres y profesores deben ser los que marquen el camino al niño y cuiden de que reciba una educación de acuerdo con unos contenidos y principios que le formen como persona independiente y con juicio propio. Durante esa etapa, los educadores, en sentido amplio, tienen la obligación de influir en el niño, pensando en él, en su bien.

La vertiginosa velocidad a la que se mueve el mundo en las sociedades occidentales hace que no nos paremos a pensar estas cuestiones, probablemente ni siquiera al plantearnos tener un niño. Pero el proceso descrito ocupa tiempo, tiempo del adulto, y mucho. ¿No habría que ser consciente de esto igual que lo somos de que vamos a necesitar tiempo para cambiar los pañales del niño o darle de comer? El papel asistencial de los padres para con los niños no es el único. El educativo es igual de importante, pero para ponerlo en práctica no todos los padres se mentalizan, documentan y organizan. A esto es a lo que se refieren los analistas internacionales de la educación cuando dicen que lo primero es pensar en el niño.

El otro problema es el predominio en numerosos países de un esquema educativo en el que no existe conexión entre los padres y los profesores. Muy ocasionalmente se encuentran y, cuando lo hacen, es en espacios formales. En esos encuentros, algunos padres están a menudo inhibidos porque son los profesores los que van a calificar a sus hijos, otros porque tienen prisa y otros porque no quieren dar a entender a sus hijos que tienen menos conocimientos que sus profesores. Por su lado, los docentes se inhiben para evitar situaciones en las que los padres les quieran imponer sus criterios o les pidan explicaciones. Hay muchas otras causas, pero la conclusión es que, en definitiva, no se produce el contacto entre ambas partes que favorecería la correcta educación de los niños.

Una de las preocupaciones que formulan los expertos en relación con el proceso educativo actual es la necesidad de hacer hincapié en lo que Federico Mayor define como «los grandes principios». Así lo explica: «La educación es un proceso por el cual hoy llegamos a tener la soberanía personal. Y esto lo definió muy bien Francisco Ginés de los Ríos. Yo soy soberano, digo lo que quiero. ¿Por qué? Porque he reflexionado, he pensado, he mirado, he escrito, y al final de todo esto me rijo por mis propias conclusiones. Esto es haberse educado. Y uno de los consejos más importantes que hay que seguir es que no actúes nunca al dictado de nadie, porque, si no, te están gregarizando, te están uniformizando. Esto no puede ser, va en contra de los principios, los grandes principios como la transparencia, honestidad, igualdad, justicia, solidaridad. Poco a poco nos hemos olvidado de esto. Y no puede ser, nosotros tenemos que educar en la soberanía personal».

Cuando se afirma que educar es la solución, no se está hablando de que los niños vayan a la escuela, sino de que los niños estén educados en los grandes y pequeños valores, y de que los padres deben tener tiempo para hacerlo. Federico Mayor enfatiza un aspecto: «Cuando se habla de la situación actual, hay que ser muy ponderados. Cuando se dice que es peor que nunca, se olvida que ha habido periodos en los que se ha dicho: "Qué bien estamos, qué niños tan educaditos y tan religiosos". Pero si analizas la posición social de aquel momento te das cuenta de que la disparidad era tremenda. Había una intra-inmigración en España tremenda, la gente iba de las zonas rurales a buscar trabajo a la ciudad y había unas disparidades sociales impresionantes. Es mejor que haya autenticidad, que analicemos el valor real de las cosas, que haya unos valores universales que nos guíen, unos derechos que ejerzamos. Ahí está la Declaración Universal, que nos da cuatro o cinco piezas maestras. Y todas las religiones coinciden en ello».

La inmigración

No se puede hacer un repaso de la crisis mundial de la educación sin mencionar las repercusiones de la inmigración en los países más desarrollados procedente de lugares menos favorecidos. El aumento de los alumnos de distintas culturas, la multiculturalidad de las aulas, está haciendo necesario replantear los objetivos de la educación en los países desarrollados. La adaptación a esta nueva circunstancia es, en la actualidad, uno de los grandes retos de nuestra educación. Este aspecto afecta de tal manera a la organización de los centros, a la propia docencia, a los resultados escolares, a la convivencia en las aulas y al desarrollo de valores esenciales como la tolerancia que puede decirse que su importancia en la educación actual (y con toda seguridad en la del futuro) es equiparable a la que tiene la introducción de las nuevas tecnologías en el ámbito educativo.

Pero los países, en este caso los europeos más cercanos, han demostrado tener poca capacidad para anticiparse a las nuevas situaciones educativas que se derivan del aumento constante del flujo de inmigración. Bien es cierto que cada país tiene su propia estructura educativa y que las recetas deben ser personalizadas. En el caso de España, tenemos un sistema educativo ya prácticamente bipolar. Muchas comunidades autónomas (con Cataluña y el País Vasco al frente) lo han repartido casi por igual entre la educación pública y la concertada (la privada sostenida con fondos públicos). Esta última es, además, mayoritariamente católica (ronda el 90%), lo que hace que el sistema español se diferencie considerablemente de los del resto de Europa.

Ante una coyuntura como ésta, si no se prevé una adecuada atención a la diversidad, se está ya corriendo el peligro de que determinados grupos (los de inmigrantes y otros colectivos en situación desfavorecida) se consideren maltratados o perdedores y busquen otras alternativas educativas más sectarias, huyendo incluso de la escolarización, lo que tiene repercusiones sociales que van más allá de lo educativo: el aumento de la desigualdad de oportunidades y el incremento de las situaciones de violencia y de los conflictos de todo tipo. Si no se remedia, esto llevará a construir una educación cada vez más segmentada.

Esta situación se materializa en la distribución de la educación en centros privados (pero gratuitos) que apenas admiten a escolares inmigrantes o pertenecientes a colectivos marginales. Determinados centros concertados sí lo hacen, pero son tan minoritarios como ejemplares. Los resultados del estudio *Los hijos de los inmigrantes en España*, del sindicato CC OO, elaborado en 2000 a partir de datos oficiales, constata que los colegios privados concertados acogen sólo al 19% de los inmigrantes. Este análisis destaca que el número de extranjeros que estudian en los centros públicos ha pasado en seis años (del curso escolar 1996-1997 al 2001-2002) del 73% al 81%. Añade además que el número de alumnos extranjeros que hay en España se ha multiplicado por cinco a lo largo de la pasada década de los noventa y de manera intensiva en los últimos tres años. Los estudiantes inmigrantes representan en la actualidad en España sólo el 3% de los alumnos que cursan la educación infantil, primaria y secundaria.

Es de sentido común que la solución en España (me atrevería a decir que la única, al menos que se pueda atisbar de forma clara) pasa por distribuir de manera proporcional al alumnado inmigrante y al perteneciente a colectivos desfavorecidos en todos, absolutamente todos, los colegios e institutos financiados con fondos públicos: los del Estado y los privados concertados.

Encuestas recientes a padres y a estudiantes concluyen que la mayoría de los entrevistados, si puede elegir, prefiere un centro sin inmigrantes. Por un centro con inmigrantes entienden, desde luego, uno con «muchos inmigrantes». Pero habría que saber qué responderían a la pregunta de si les importaría que entre los compañeros de sus hijos hubiera, por ejemplo, un alumno marroquí y uno rumano, que tuvieran las mismas oportunidades que su hijo en todos los niveles. Es decir, que en el futuro, cuando su hijo conserve un grupo de amigos del colegio, se encuentren entre ellos ese joven marroquí y ese joven rumano que hayan estudiado lo mismo que su hijo: una carrera universitaria, la formación profesional (FP) de grado medio o superior.

«¿Baja el nivel educativo de mi hijo si lo matriculo en un centro con inmigrantes?», se preguntan muchos padres. La respuesta es evidente. Si en ese centro hay un elevadísimo número de inmigrantes por aula que hablan mal o no hablan la lengua española y muchos de ellos no poseen los mínimos conocimientos que corresponden a su edad (no todos, los procedentes de algunos países del este de Europa han estado escolarizados adecuadamente y tienen muy buen nivel), probablemente descendería la calidad de la enseñanza. Con todo, es justo mencionar que hay colegios públicos ejemplares en los que, gracias al voluntarismo de los profesores y del equipo directivo o de apoyo logran mantener un nivel aceptable.

La concentración de inmigrantes y alumnos con problemas de rendimiento en determinados colegios está provocando «una dinámica perversa que lleva a muchos padres a evitar dichos centros, con lo que los centros educativos de nuestro país son cada vez más homogéneos internamente, en términos generales, desde el punto de vista de la composición y del perfil social del alumnado que escolarizan y, en consecuencia, más marcados socialmente», asegura el catedrático de Psicología Evolutiva y de la Educación en la Universidad de Barcelona César Coll.

«La tendencia de determinados padres a evitar los centros con inmigrantes es tan fuerte que, si no se actúa con rapidez y decisión estableciendo las medidas necesarias para evitar que siga aumentando la concentración, en un plazo de tiempo breve, más breve del que a veces nos imaginamos, se habrá producido una nueva dualización en nuestro sistema educativo en torno a dos tipos de centros: los que escolarizan a los alumnos inmigrantes con escasos recursos económicos, a los alumnos de minorías étnicas y culturales con dificultades de aprendizaje y a los alumnos "difíciles" —provenientes también en su mayoría, como es harto sabido, de clases sociales desfavorecidas—, por una parte, y los que escolarizan al resto del alumnado», explica Coll. «En la medida, además, en que esta dualización se está produciendo en torno a los centros de titularidad pública y a los centros concertados, esto supone en la práctica condenar a los primeros a cumplir una función más asistencial que educativa.»

Los propios profesores de los llamados *centros gueto* no cesan de repetir la solución: «Si en lugar de tener 15 alumnos inmigrantes en el aula tuviera uno o dos, la situación sería perfectamente asumible. Y es posible, nosotros lo sabemos. Sólo se trata de repartir a estos alumnos entre todos los centros públicos y concertados de la comunidad autónoma, financiar su transporte escolar, proporcionar orientadores y mediadores que les ayuden», explica un docente de un colegio situado en la zona centro de Madrid. Se necesita financiación y voluntad política para buscar alternativas. Es posible que si algún político se atreve a hacerlo —siempre de forma consensuada, hablando con todos los colectivos y representantes educativos— deje sin duda una huella imborrable en la educación española. Porque los cambios educativos no llegan a ninguna parte si no se hacen con consenso y, paralelamente, la educación precisa cada vez más de pequeños cambios constantes.

Por todo esto, el gran desafío de la educación del futuro, tanto en el plano institucional como en los contenidos, es, como dice Juan Carlos Tedesco, conseguir un nivel de tensión aceptable entre estabilidad y cambio. Hay que encontrar un equilibrio entre el núcleo estable y unas zonas de ensayo permanente. La experiencia internacional demuestra que los sistemas que más se modifican son a la vez los más estables.

Capítulo XII

Los padres del futuro

¿Están los padres actuales sufriendo el peor cambio desde hace décadas y décadas? ¿Será entonces más fácil para las generaciones de futuros progenitores porque tendrán ya la referencia de su propia educación? «El futuro ya no es lo que era.» La conocida frase atribuida al escritor francés Paul Valéry cobra cada vez más fuerza. Hasta hace unas décadas se pensaba que estaba bajo control, que se veía venir, lo que podía pasar en el futuro cercano. Pero en los nuevos tiempos ya no es así. Ahora sabemos que lo más probable es que el futuro nos desconcierte. Aun así, el elemento sorpresa con el que se han encontrado los padres actuales ha sido mayúsculo. Ellos se criaron sin modernas tecnologías, en un mundo más cercano, más rural, más controlable —en el mejor y peor sentido de la palabra—, al margen de las sorpresas tecnológicas, medioambientales o sociales que nos puedan esperar.

«Nuestro futuro depende de la calidad de los niños actuales. Nuestro futuro no dependerá de qué mundo dejamos a nuestros hijos, sino de qué hijos dejamos a nuestro mundo», afirma el ex secretario general de Naciones Unidas Federico Mayor Zaragoza. «El mundo será el que nuestros hijos hagan y sean capaces de reformar, de mantener, de degradar, de inventar, será el día de mañana. Los padres del mañana serán, por tanto, lo que los niños de hoy hayan sido. Si han crecido en el desamor, con la impresión de que todo está decidido, de que los medios de comunicación hacen y dicen lo que quieren, de que los gobiernos toman las decisiones que les da la gana, y de que esto es un caos, entonces no nos podremos quejar si ellos, en sus comportamientos, son personas arbitrarias, caóticas y que no saben tener unos puntos de referencia. No nos podremos quejar, les hemos mostrado esto.»

El *Estado mundial de la infancia 2003* de Unicef habla de la importancia que tendrá en un futuro el dar protagonismo a los niños, el fomentar la participación infantil y con ella su conciencia crítica. Este informe subraya la responsabilidad de los adultos de tomar en consideración las opiniones de la infancia, y de ayudar a los niños y a los adolescentes a desarrollar sus capacidades para que puedan tener «una participación auténtica y significativa en el mundo». La participación, explica este informe, supone el acto de animar y capacitar a los niños para que den a conocer su punto de vista sobre los asuntos que les afectan. «Cuando se pone en práctica, la participación requiere que los adultos escuchen a los niños, que estén atentos a sus múltiples y variadas formas de comunicarse, y que garanticen su libertad de expresarse y tengan en cuenta sus puntos de vista cuando llegue el momento de tomar decisiones que les afecten.»

Pero escuchar las opiniones de los niños no es suficiente, advierte el informe. «Más bien, de lo que se trata es de entablar con ellos un diálogo y un intercambio que les permita aprender formas constructivas de influir en el mundo que les rodea. El toma y daca social de la participación alienta a los niños a asumir responsabilidades cada vez mayores como ciudadanos activos, tolerantes y democráticos en proceso de formación. Una participación auténtica y significativa exige un cambio radical en la forma de pensar y la conducta de los adultos, de una actitud exclusiva hacia los niños y sus capacidades a otra inclusiva; de un mundo definido exclusivamente por los adultos a otro en el que los niños hagan su aportación al tipo de mundo en el que quieren vivir.»

El futuro de la educación, según los grandes expertos, pasa por idear una nueva estrategia: que los Gobiernos, los sistemas educativos y los padres piensen más en los niños y menos en ellos. La educación de los hijos y el tiempo para los hijos no debe hacerse depender de las *necesidades* profesionales de los padres del lado privilegiado de la aldea global o de las *necesidades* de la vida moderna (la preocupación por comprarse una casa más grande, por adquirir más bienes materiales). De igual modo, la política tendrá (y tiene ya) que pensar más en la vida de los ciudadanos y menos en el poder.

Los principios para llevar esto a cabo están perfilados, se ha hecho en las grandes cumbres internacionales.

Con respecto a los padres del futuro, el ex director de la Oficina Internacional de Educación de la Unesco, Juan Carlos Tedesco, dice que es importante resaltar una cuestión: «Los avances de biogenética y sus consecuencias sobre la relación entre padres e hijos. Estamos ante posibles escenarios donde los adultos tendrán la posibilidad de manipular el capital genético de sus hijos».

«Habermas ha planteado algunos de estos riesgos en su reciente libro sobre la condición humana. Sostiene que la intervención genética modifica las condiciones a partir de las cuales nos constituimos en sujetos, en nosotros mismos. En el marco de la socialización basada en un capital genético no manipulado, tenemos un principio de libertad que nos permite asumir la responsabilidad sobre nuestra biografía, la reflexión autocrítica y la posibilidad de compensar retrospectivamente la relación asimétrica que existe entre padres e hijos. Los deseos de los padres son siempre susceptibles de contestación en el proceso comunicacional de la socialización. Esta posibilidad autocrítica desaparece o se modifica cuando sabemos que existió una intervención intencional de otros en nuestro capital genético.»

Tedesco, que dirige el Instituto Internacional de Planificación de la Educación en Argentina, prosigue: «Llevado al extremo, es posible suponer que el nuevo ser devenido adulto no dispondrá de la posibilidad de instaurar la necesaria simetría de responsabilidades recurriendo a la autoreflexión ética.

Con la intervención genética cambian las relaciones de poder entre las personas. El "programador" interviene como protagonista en el interior de la vida de la persona programada, pero sin la posibilidad de ser un "antagonista", como es el caso de la constitución del sujeto a través del proceso de socialización. Es cierto que la sociedad se caracteriza por la desigualdad, la opresión despótica, la privación de derechos, la explotación económica. Pero sólo nos podemos revelar contra estas situaciones si sabemos que pueden ser diferentes. El paternalismo generado por la manipulación genética es totalmente diferente al paternalismo conocido hasta ahora».

«Las consecuencias abiertas por las posibilidades de manipulación del capital genético de los hijos nos coloca ante un fenómeno paradójico. En el momento en el cual la familia se democratiza, que las relaciones entre padres e hijos han alcanzado un grado muy alto de simetría, en el cual los adultos han perdido capacidad para imponer determinadas visiones del mundo a las nuevas generaciones, en el cual el proceso de socialización ha asumido características más democráticas, se abre la posibilidad de ejercer formas de poder extremas, irreversibles, no sujetas a ningún tipo de diálogo, de comunicación y de intercambio.»

Y este especialista concluye: «Frente a este tipo de escenarios futuros, es posible apreciar que los adultos —en tanto ciudadanos de sistemas políticamente democráticos— estarán sometidos a la necesidad de tomar decisiones de gran trascendencia. Mi impresión, aun cuando esto pueda parecer demasiado voluntarista, es que la mejor educación que podemos brindar a los jóvenes es asumir la responsabilidad que tenemos como adultos. En este campo, lo que educa es el ejemplo. Los adultos debemos discutir democráticamente el contenido de las decisiones que se presentan. Esa es la mejor forma de educar a los jóvenes».

Los especialistas internacionales insisten en varios aspectos: las cosas no van como deberían porque el niño no es el centro; porque se concentra toda la preocupación en las evaluaciones, en las notas, y no en el aprendizaje; porque los padres no piensan que igual que deben organizar su tiempo para la atención asistencial de sus hijos (cuidarlos, lavarlos, darles de comer) también deben reservar un espacio para la atención educativa; porque los Gobiernos no invierten lo suficiente en educación ni en la incorporación de las nuevas tecnologías a las aulas; y porque no existe el acercamiento entre las familias y las escuelas necesario para que la educación (tanto en conocimientos como en valores y en actitudes) se desarrolle debidamente. Muchos padres están desconcertados y algunos de ellos piensan que la situación les supera o que ya es demasiado tarde.

El primer paso para entender qué sucede con la educación e interesarse por ello es dedicarle tiempo. El segundo, que el esfuerzo educativo que hacen los Gobiernos, irrisorio comparado con cualquier otra inversión, deje de ser tan escaso. Los expertos internacionales vaticinan que la familia, sea del tipo que sea, tendrá cada vez más peso en la educación del futuro. Si la tecnología permite desempeñar parte de las labores profesionales desde casa y si el mundo laboral se hace más flexible, algo que ya se ve necesario, los padres del futuro (y las escuelas) organizarán su tiempo de una forma muy distinta, tendrán otro papel, más cercano, pero no menos difícil. Edificar la sociedad del futuro empieza por poner ladrillos en su educación. El primero lo tienen que poner los padres.

Anexo

Las cifras de la educación

1

Los sondeos más recientes del Instituto de la Juventud señalan que cuando se interroga a los jóvenes acerca de si sus opiniones sobre sus estudios o su trabajo coinciden con las de sus padres, el 39% dice que alguna vez y el 40% que casi siempre. Sobre si comparten con sus padres la misma idea sobre sus planes de futuro y proyectos, el 37% dice que casi siempre y el 42% que en ocasiones. También pone de manifiesto este estudio la intención de los progenitores españoles de dialogar con sus hijos. Al consultar a los jóvenes cómo se toman en su casa las decisiones que afectan a los hijos, el 55% dice que «padres e hijos debaten y llegan a un compromiso», el 26% señala que «padres e hijos debaten, pero la decisión es de los padres» y sólo el 6,7% afirma que «los padres deciden e imponen sus criterios». En general, la mayoría de los jóvenes considera que se lleva con sus padres «bastante bien» (54%) o «muy bien» (32%). Sólo uno de cada cuatro afirma que el trabajo doméstico lo realizan todos los miembros de la familia por igual (25%) y muchos que «mayoritariamente las mujeres de la casa» (51%), aunque la gran mayoría dice que su familia ideal es aquella en la que «los dos trabajen y compartan por igual las tareas familiares» (79%).

2

La Declaración Universal de los Derechos Humanos, aprobada por Naciones Unidas el 10 de diciembre de 1948, dice en su artículo 26:

1. Toda persona tiene derecho a la educación. La educación debe ser gratuita, al menos en lo concerniente a la instrucción elemental y fundamental. La instrucción elemental será obligatoria. La instrucción técnica y profesional habrá de ser generalizada; el acceso a los estudios superiores será igual para todos, en función de los méritos respectivos.

2. La educación tendrá por objeto el pleno desarrollo de la personalidad humana y el fortalecimiento del respeto a los derechos humanos y a las libertades fundamentales; favorecerá la comprensión, la tolerancia y la amistad entre todas las

naciones y todos los grupos étnicos o religiosos; y promoverá el desarrollo de las actividades de las Naciones Unidas para el mantenimiento de la paz.

3. Los padres tendrán derecho preferente a escoger el tipo de educación que habrá de darse a sus hijos.

Más concretamente, la Convención de Derechos del Niño, aprobada por el mismo organismo el 20 de noviembre de 1989, se pronunció en los siguientes términos:

1. Los Estados Partes reconocen el derecho de todo niño a un nivel de vida adecuado para su desarrollo físico, mental, espiritual, moral y social.

2. A los padres u otras personas encargadas del niño les incumbe la responsabilidad primordial de proporcionar, dentro de sus posibilidades y medios económicos, las condiciones de vida que sean necesarias para el desarrollo del niño.

3. Los Estados Partes, de acuerdo con las condiciones nacionales y con arreglo a sus medios, adoptarán medidas apropiadas para ayudar a los padres y a otras personas responsables del niño a dar efectividad a este derecho y, en caso necesario, proporcionarán asistencia material y programas de apoyo, particularmente con respecto a la nutrición, el vestuario y la vivienda.

4. Los Estados Partes tomarán todas las medidas apropiadas para asegurar el pago de la pensión alimenticia por parte de los padres u otras personas

que tengan la responsabilidad financiera del niño, tanto si viven en el Estado Parte como si viven en el extranjero. En particular, cuando la persona que tenga la responsabilidad financiera del niño resida en un Estado diferente de aquel en que resida el niño, los Estados Partes promoverán la adhesión a los convenios internacionales o la concertación de dichos convenios, así como la concertación de cualesquiera otros arreglos apropiados.

3

El estudio *Jóvenes y videojuegos: significación y conflictos*, publicado por el Instituto de la Juventud (Injuve) español señala que el 58% de los jóvenes de entre 14 y 18 años dicen ser jugadores habituales de videojuegos. De ellos, el 42% juegan con ellos como mínimo tres días a la semana y uno de cada cuatro reconoce que dedica a esta actividad más de dos horas diarias en días laborables. Por otro lado, la mayoría de los encuestados comenzaron a jugar a los 12 años, aunque los hay precoces, que se iniciaron a los 10 años o incluso antes. Es entre los 14 y 15 años cuando se registra un hábito más acusado, aunque también muchos mayores —los de 18 años— se han convertido en jugadores «duros». Asimismo, se percibe una diferencia entre chicos y chicas: ellos juegan con más frecuencia y en sesiones más largas. Hay videojuegos que sirven de mero entretenimiento y otros que además tienen pretensiones educativas, si bien lo que más valoran los jóvenes en ellos, según la misma encuesta, es (por este orden) que tengan muchos elementos sonoros y gráficos, que sean muy realistas, que planteen retos y situaciones muy impactantes y que permitan competir.

4

La Ley Orgánica de Ordenación General del Sistema Educativo (LOGSE), de 1990, establece cuáles son los fundamentos en los que se ha de basar la formación en cada etapa educativa:

En la educación primaria:

—Apreciar los valores básicos que rigen la vida y la convivencia humana y obrar de acuerdo con ellos.

—Conocer las características fundamentales de su medio físico, social y cultural y las posibilidades de acción en el mismo.

—Valorar la higiene y la salud de su propio cuerpo, así como la conservación de la naturaleza y del medio ambiente.

—Utilizar la educación física y el deporte para favorecer el desarrollo personal.

En cuanto a la educación secundaria obligatoria (ESO):

—Comportarse con espíritu de cooperación, responsabilidad moral, solidaridad y tolerancia, respetando el principio de la no discriminación entre las personas.

—Conocer, valorar y respetar los bienes artísticos y culturales.

—Analizar los principales factores que influyen en los hechos sociales y conocer las leyes básicas de la naturaleza.

—Conocer las creencias, actitudes y valores básicos de nuestra tradición y patrimonio cultural, valorar críticamente y elegir aquellas opciones que mejor favorezcan su desarrollo integral como personas.

—Valorar críticamente los hábitos sociales relacionados con la salud, el consumo y el medio ambiente.

—Conocer el medio social, natural y cultural en que actúan y utilizarlos como instrumentos de formación.

—Utilizar la educación física y el deporte para favorecer el desarrollo personal.

Con respecto a los alumnos de bachillerato:

—Analizar y valorar críticamente las realidades del mundo contemporáneo y los antecedentes y factores que influyen en él.

—Consolidar una madurez personal, social y moral que les permita actuar de forma responsable y autónoma.

—Participar de forma solidaria en el desarrollo y mejora del entorno social.

—Utilizar la educación física y el deporte para favorecer el desarrollo personal.

5

El estudio *Los valores del alumnado de educación secundaria de la Comunidad de Madrid* ha sido realizado por el Instituto de Evaluación y Asesoramiento Educativo (Idea) y publicado en 2002 por la Fundación Hogar del empleado (Fuhem). Este informe está basado en 4.621 encuestas a jóvenes de entre 12 y 18 años de la Comunidad de Madrid, aunque la situación que refleja es, según los autores, extrapolable a toda la juventud española.

Los resultados señalan que el 85% de los jóvenes considera que sus progenitores influyen bastante o mucho en sus valores. En segundo lugar señalan a sus amigos (65%); en el tercero, a sus hermanos (53%); en el cuarto, al colegio (49%) y en el último, a los medios de comunicación (26%).

Las opiniones sobre este tema son distintas según se trate de chicos o de chicas: hay más chicas que reconocen una influencia de sus padres en sus valores (87%) que chicos (83%) y también más de los amigos (72%, frente al 59%). Otra variación que constata el estudio es la que viene determinada por la edad: el 66% de los alumnos de 13 y 14 años —1º y 2º de Educación Secundaria Obligatoria (ESO)— creen que el colegio influye mucho o bastante en sus valores, mientras que este porcentaje baja al 47% entre los de 15 y 16 años —3º y 4º de ESO— y al 42% entre los de 17 a 18 años —bachillerato y FP—. Respecto a las diferencias entre los jóvenes que estudian en centros públicos y privados, apenas se aprecian, únicamente los de colegios privados declaran una influencia de los amigos algo mayor (69% en los privados, 61% en los públicos).

6

El real decreto 1330/1991 que desarrolla la Ley Orgánica de Ordenación General del Sistema Educativo (LOGSE), de 1990, explica:

«El lenguaje va a ser para el niño no sólo un instrumento de comunicación personal y de regulación de la conducta de otros, sino también un instrumento de regulación y planificación de la propia conducta. Esta función del lenguaje se produce lentamente, como consecuencia de un trabajo educativo que empieza en los niveles preverbales y se prolonga hasta el final de la etapa, y no de manera espontánea.

Resulta importante tener presente que el lenguaje oral es el instrumento de representación y comunicación más utilizado. Esta importancia social no debe reproducirse en la escuela. El centro de educación infantil lo tendrá en cuenta y en el tratamiento de esta y otras formas de representación y comunicación aprovechará este factor, de manera que al establecer objetivos, contenidos y actividades se responda a las necesidades educativas del niño en estas edades.

El acceso a los códigos convencionales, que, como criterio general, debe realizarse en el primer ciclo de la educación primaria, es un largo proceso en el que las posibilidades evolutivas del niño y la intervención pedagógica del educador han de estar en relación para un tratamiento educativo adecuado.

La iniciación a los códigos de la lectura y escritura cobra un valor distinto al que se le ha atribuido tradicionalmente, ya que deja de ser el eje alrededor del cual giran las actividades de enseñanza-aprendizaje, convirtiéndose en una meta supeditada a otras ahora más importantes: la motivación por adquirir los nuevos códigos, el acceso a sus características diferenciales, la comprensión y valoración de su utilidad funcional, etcétera.

De este modo, y durante este proceso, los niños aprenden las propiedades de significación, información y comunicación inherentes al texto escrito, descubren algunas de sus características de convención y sobre todo, si ello se propicia adecuadamente, se interesan por la lengua escrita y su utilización. Por todo ello, la enseñanza sistemática de la lengua escrita no constituye un objetivo de la educación infantil, pero esto no debe impedir el tratamiento de ese sistema, ni la respuesta a los interrogantes que sin duda plantearán los niños, siempre desde un enfoque significativo».

7

El *Estudio sobre hábitos de lectura y compra de libros* de la Federación de Gremios de Editores ha sido realizado por la consultora Precisa mediante 4.000 encuestas aleatorias y 12.000 a lectores, y presentado en 2002. Sus resultados reflejan que la gran mayoría de los lectores españoles buscan en los libros, sobre todo, que les entretengan (85%), y la novela es el género que más atractivo les resulta (67%). A la hora de comprar un libro, lo primero que tienen en cuenta es que el tema les resulte interesante (79%) y luego el título (48%). El 37% se deja influir en la elección por el consejo de otras personas y el 26% escoge el libro por el autor.

Uno de cada tres españoles asegura que en la actualidad lee menos que años atrás, y la mayoría de ellos culpa al trabajo (57%). Pero tampoco se deben perder de vista otras razones que aducen: el 28% de la población reconoce que no lee porque no le gusta, aunque el 60% compra libros. De hecho, el porcentaje de hogares españoles en los que no se puede encontrar un solo libro asciende al 3%. En cambio, las razones económicas no parecen ser la explicación: sólo el 0,3% asegura que no lee porque los libros son caros. Otro factor correlacionado con este hábito es el tamaño de la localidad en la que se viva. En las grandes ciudades, como Madrid o Barcelona, se lee más (59%) que en las que tienen menos de 10.000 habitantes (51%).

8

El estudio *Lectores y lecturas entre la juventud española*, un análisis basado en los datos obtenidos por Manuel Martín Serrano en siete investigaciones, realizadas entre 1982 y 2000, indica que en ese periodo aumentaron un poco los que leen uno o dos libros anuales (del 15% al 21%), se mantiene el porcentaje de los que leen tres o cuatro (en el 17%) y ha aumentado el porcentaje de los que no leen ningún libro (del 24% al 35%). Además, el estudio constata que el porcentaje de jóvenes de esas edades que usan la lectura para estudiar (48%) es muy similar al que la usa para informarse (47%). La utiliza como distracción el 46%; en relación con su trabajo, el 21%; para aprender y cultivarse, el 13%; para entretenerse, como forma de ocio en vacaciones, el 3%.

El gusto por la lectura de periódicos y revistas es muy distinto en las chicas y en los chicos. Hay más varones (31%) que mujeres (18%) a los que les gusta leer con frecuencia este tipo de publicaciones. Las chicas que leen prensa tienen más preferencia que los hombres por las revistas de información general (8%, frente al 4%), las revistas especializadas (3%, frente a 2%) y revistas femeninas (3%, frente al 1%). En cambio, ellos prefieren en primer lugar leer periódicos (10%, frente al 3% de ellas), luego revistas de deportes (8%, mientras que a las mujeres no les gusta nada) y por último revistas juveniles (4%, frente al 1% de las chicas).

También recuerda Martín Serrano qué estimula más a leer una determinada publicación: al 39%, las recomendaciones de otras personas; al 41%, la información que obtienen de críticas, publicidad, el cine o la televisión, y el 16% lo hace por su propia iniciativa.

Bibliografía básica para padres

ALMEIDA, J. *Sociología de la educación*. Barcelona, Ariel, 1995.

ÁLVAREZ MÉNDEZ, J. M. *Evaluar para conocer, examinar para excluir*. Madrid, Ediciones Morata, 2001.

ARROYO, C. y GARRIDO, F. J. *Libro de Estilo Universitario*. Madrid, Acento Editorial, 1997.

BALLESTA, J. y GUARDIOLA, P. *Escuela, familia y medios de comunicación*. Madrid, Editorial CCS (Colección Educar), 2001.

BARRAGÁN, F. (coord.). *Educación en valores y Género*. Sevilla, Díada Editora (Investigación y Enseñanza), 2002.

BORGES, J. L. y FERRARI, O. *Diálogos*. Barcelona, Seix Barral (F. C.), 1992.

BRIESE-NEUMANN, G. *Organización del tiempo en el trabajo*. Madrid, Editorial El Drac, 1998.

CAMPS, V. *Los valores de la educación*. Madrid, Anaya, 1994.

CARBONELL, J. *La aventura de innovar: El cambio en la escuela*. Madrid, Ediciones Morata, 2001.

CEAPA. *Los deberes escolares*. Revista de la Confederación Española de Asociaciones de Padres y Madres de Alumnos, n.º 72 (noviembre-diciembre 2002). Madrid, CEAPA, 2002.

CLARK, L. *SOS: Help for Parents*. Parents Pr., 1996.
COLL, C. *Psicología y currículum*. Barcelona, Paidós, 1991.
CORTINA, A. (coord.). *La educación y los valores*. Madrid, Editorial Biblioteca Nueva y Fundación Argentaria, 2000.
DE MONTAIGNE, M. *Ensayos completos*. Barcelona, Editorial Iberia, 1973.
—*La educación de los hijos*. Madrid, Fondo de Cultura Económica de España, 1998.
DELORS, J., *et al. La educación encierra un tesoro*. Informe a la Unesco de la Comisión Internacional sobre la educación para el siglo XXI. Madrid, Ediciones Unesco/Santillana, 1996.
DEVELAY, M. *Padres, escuela e hijos*. Sevilla, Díada Editora (Investigación y Enseñanza), 2001.
DUART, J. M. *La organización ética de la escuela y la transmisión de valores*. Barcelona, Ediciones Paidós Ibérica (Papeles de Pedagogía), 1999.
FERNÁNDEZ ENGUITA, M. *La jornada escolar*. Barcelona, Editorial Ariel (Ariel Educación), 2001.
—*Educar en tiempos inciertos*. Madrid, Ediciones Morata, 2001.
FUNDACIÓN ORTEGA Y GASSET. *La revolución digital: individuo y colectividad en el ciberespacio*. Revista de Occidente, nº 206 (junio 1998). Madrid, Fundación Ortega y Gasset, 1998.
GÓMEZ LLORENTE, L. *La educación pública*. Madrid, Ediciones Morata, 2000.
GONZÁLEZ, A. M. *Escuchar, hablar, leer y escribir: Actividades con el lenguaje*. Madrid, Ediciones de la Torre (Proyecto Didáctico Quirón), 2000.

KANT, I. *Fundamentación de la metafísica de las costumbres*. Barcelona, Ariel, 1996.

MARCHESI, A. *Controversias en la educación española*. Madrid, Alianza Editorial, 2000.

MATEO, J. *La evaluación educativa, su práctica y otras metáforas*. Barcelona, I.C.E. Universitat Barcelona y Editorial Horsori (Cuadernos de Educación), 2000.

MCFARLANE, A. *El aprendizaje y las tecnologías de la información: Experiencias, promesas, posibilidades*. Madrid, Grupo Santillana de Ediciones (Aula XXI / Santillana), 2001.

MERROW, J. y KOZOL, J. *Choosing Excellence: 'Good Enough' Schools Are Not Good Enough*, Scarecrown Pr., 2001.

MONCLÚS, A. y SABÁN C. *Educación para la paz*. Madrid, Editorial Síntesis (Síntesis Educación), 1999.

MORIN, E. *Los siete saberes necesarios para la educación del futuro*. Barcelona, Ediciones Paidós Ibérica, 2001.

ORTEGA Y GASSET, J. *Obras completas*. Madrid, Revista de Occidente, 1964-1983.

PLATÓN, *La República*. Madrid, DM, 2000.

RAMO, Z. y RODRÍGUEZ-CARREÑO, M. *Elegir colegio*. Madrid, Aguilar (Guías prácticas. Economía Familiar), 1996.

REIMERS, F. *Escuelas desiguales*. Madrid, Editorial Arco, 2001. *Unequal Schools, Unequal Chances: The Challenges to Equal Opportunity in the Americas* (David Rockefeller Center Series on Latin American Studies), Fernando Reimers (Editor), 2001.

ROKEACH, M. *The Nature of Human Values*. New York, Free Press, Milton, 1973.

ROUSSEAU, J. J. *Emilio o de la educación*. Madrid, Club Internacional del Libro (Grandes genios de la literatura universal), 1985.

RUSSELL, B. *La educación y el orden social*. Barcelona, Edhasa, 1998.

SÁNCHEZ-VALIENTE, J. *¿Qué les pasa a los adolescentes estudiantes?: Análisis y orientaciones para educadores y padres. Marco teórico del programa Meta-e*. Sevilla, Ediciones Alfar (Ciencias de la Educación), 2000.

SAVATER, F. *El valor de educar*. Barcelona, Ariel, 1997.

SECO, M. *Diccionario del español actual*. Madrid, Aguilar, 1999.

TOLCHINSKY, L. Y SIMÓ, R. *Escribir y leer a través del currículum*. Barcelona, I.C.E. Universitat Barcelona y Editorial Horsori (Cuadernos de Educación), 2001.

V.V.A.A. *Comprender la Evaluación*. Consejería de Educación y Ciencia de la Junta de Andalucía, 1999.

V.V.A.A. *Pedagogías del siglo XX*. Barcelona, Editorial CISS PRAXIS (Cuadernos de Pedagogía. Especial 25 años), 2000.

Informes

AGUINAGA, J. y COMAS, D. *Cambios de hábito en el uso de tiempo: Trayectorias temporales de los*

jóvenes españoles. Madrid, Instituto de la Juventud, 1997.
CALVO BUEZAS, T. *Inmigración y racismo: así sienten los jóvenes del siglo XXI*. Madrid, Cauce Editorial, 2000.
CC OO. *Los hijos de los inmigrantes en España*. Madrid, CC OO, 2000.
CEAPA. *El reparto del trabajo doméstico en la familia: La socialización en las diferencias de género*. Madrid, CEAPA, 1997.
FERE, *Significatividad evangélica de la escuela católica: Reflexión sobre su sentido en la sociedad actual*. Madrid, SM/FERE, 2002.
FUNDACIÓN HOGAR DEL EMPLEADO. *¿Cómo podemos ayudar a nuestros hijos en los estudios?* Madrid, Fuhem, 2001.
GARCÉS, R. (dir.). *La convivencia en los centros de secundaria: Las pasiones de la ESO*. Zaragoza, Instituto de Ciencias de la Educación, Informes, 49. Universidad de Zaragoza, 2002.
INCE. *Contexto socio-educativo: Escuela y Familia*. Página *web* del INCE.
—*Evaluación de la primaria 1999 y 2001*. Página *web* del INCE.
—*Resultados españoles de Ciencias y Matemáticas TYMSS*. 1997. Página *web* del INCE.
INSTITUTO DE LA JUVENTUD (INJUVE). *Jóvenes y videojuegos: Espacio, significación y conflictos*. Página *web* Injuve, 2002.
—*El cambio en las actitudes y valores de los jóvenes*. Página *web* del Injuve, 2002.
La juventud en cifras 2000-2001. Página *web* del Injuve.

MARCHESI, A. Y LUCENA, R. *Los valores del alumnado de educación secundaria de la Comunidad de Madrid*. Madrid, Fundación Hogar del Empleado (Fuhem), 2002. Trabajo de campo realizado por el Instituto de Evaluación y Asesoramiento Educativo (Idea).

MARCHESI, A. Y MARTÍN, E. (comp.). Instituto Idea. *Evaluación de la educación secundaria: Fotografía de una etapa polémica*. Madrid, Fundación Santa María/SM, 2002.

MARTÍN SERRANO, M. *Lectores y lecturas entre la Juventud Española*. (S. P.)

MARTÍN SERRANO, M. Y VELARDE, O. *Informe Juventud en España*. Madrid, Instituto de la Juventud, 2000.

MEGÍAS VALENZUELA, E. (coord.). *Hijos y padres: comunicación y conflictos*. Madrid, Fundación de Ayuda contra la Drogadicción (FAD), 2002.

PÉREZ ALONSO-GETA, P. M. y CÁNOVAS, P. *Valores y pautas de interacción familiar en la adolescencia (13-18 años)*. Madrid, Fundación Santa María/SM, 2002.

OCDE. *Informe Pisa*. 2000. Pagina *web* de la OCDE.

—*What school for the future?: Schooling for tomorrow*. Paris, Organisation for Economic Co-operation and Development (Education and skills), 2001.

ORGANIZACIÓN DE LAS NACIONES UNIDAS (ONU). *Convención de los Derechos del* Niño. Pagina *web* de Naciones Unidas.

—*Declaración Universal de Derechos Humanos*. Página *web* de Naciones Unidas.

ORIZO, F. A. (dir.). *España 2000, entre el localismo y la globalidad: La Encuesta Europea de Valores en su tercera aplicación, 1981-1999*. Madrid, Universidad de Deusto y Fundación Santa María/SM, 2000.

UNICEF. *Estado Mundial de la Infancia 2003*. Página *web* de Unicef.

Páginas 'web'

CONGRESO DE LOS DIPUTADOS / CONSTITUCIÓN ESPAÑOLA: www.congreso.es/funciones/constitucion/indice.htm

CONFEDERACIÓN DE ASOCIACIONES DE PADRES DE ALUMNOS (CEAPA): www.ceapa.es

CONFEDERACIÓN CATÓLICA DE PADRES DE ALUMNOS (Concapa): www.concapa.org

CONFERENCIA DE RECTORES DE LAS UNIVERSIDADES ESPAÑOLAS (CRUE). Información de centros, estudios y legislaciones: www.crue.org

FUNDACIÓN SANTA MARÍA: www.fundacionsantamaria.org

FUNDACIÓN SANTILLANA: www.santillana.org y www.santillana.es

FEDERACIÓN DE RELIGIOSOS DE LA ENSEÑANZA (FERE): www.planalfa.es/fere

GLOBAL ALLIANCE FOR TRANSFORMING EDUCATION (GATE): www.ties-edu.org/GATE/Educacion2000.html

INSTITUTO DE LA JUVENTUD: www.mtas.es/injuve.html

MINISTERIO DE EDUCACIÓN. Leyes españolas vigentes: www.mec.es

SAVE THE CHILDREN: www.savethechildren.es

UNICEF: www.unicef.org

OCDE (Organización para la Cooperación y el Desarrollo Económico): www.oecd.org

ONU: www.un.org/spanish

Agradecimientos

La contribución de una serie de expertos y amigos ha sido esencial para la elaboración de este libro. Agradezco especialmente su confianza y apoyo a:

Carlos Arroyo
Esteban S. Barcia
Federico Mayor Zaragoza
Juan Carlos Tedesco
Fernando Reimers
Ricardo Díez-Hochleitner
Juan Antonio Ortega y Díaz-Ambrona
Álvaro Marchesi
César Coll
Luis Ruiz del Árbol
Fernando Lezcano
Jaume Carbonell
Franciso Michavila
Rafael Puyol
Carme Chacón
Maite Pina
Manuel de Castro
Mariano Fernández Enguita
Manuel Martín Serrano
Andrés Ortega
Abilio Ruiz
Alfonso Maldonado
Lola Velázquez
Félix García Lausín
Ginés Martínez Cerón
Miguel Gómez
Paloma de la Riva
José Antonio López Tinaquero
Carmen Barrenechea
Nuria Santos
Sonia Pérez de Pablos
Alberto Penadés
Juan J. Gómez
Ana Pérez Naves